麦《むぎ》ばあの島《しま》

MUGIBAA no SHIMA

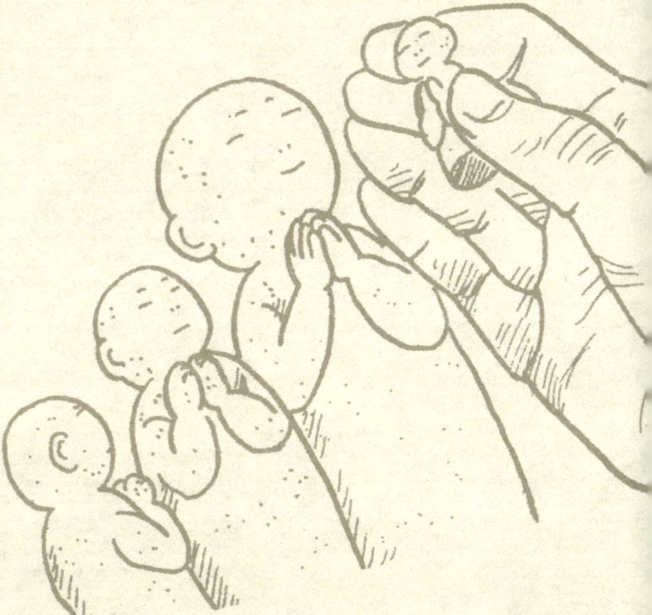

1

麦ばあの島

第1巻

古林海月《ふるばやしかいげつ》　著者

鹿児島県《かごしまけん》生《う》まれ。2003年《ねん》「夏《なつ》に降《ふ》る雪《ゆき》」で『イブニング』からデビュー。著作《ちょさく》に『米吐《こめは》き娘《むすめ》』シリーズ、『わたし、公僕《こうぼく》でがんばってました。』（いずれもKindle版《ばん》）などがある。公務員時代《こうむいんじだい》に仕事《しごと》でハンセン病療養所《びょうりょうようじょ》・邑久光明園《おくこうみょうえん》を訪問《ほうもん》。その後《ご》も入所者《にゅうしょしゃ》・退所者《たいしょしゃ》らと交流《こうりゅう》を重《かさ》ねながら本作《ほんさく》の執筆《しっぴつ》をつづけてきた。

登場人物《とうじょうじんぶつ》

小林聡子《こばやしさとこ》

昭和《しょうわ》51年《ねん》生《う》まれの短大生《たんだいせい》。麦《むぎ》と出会《であ》い、投《な》げやりな生《い》き方《かた》を改《あらた》めるようになる。

上原麦《うえはらむぎ》

大正《たいしょう》12年《ねん》生《う》まれ。病気《びょうき》の後遺症《こういしょう》で右手《みぎて》が麻痺変形《まひへんけい》しているが、現役《げんえき》の理容師《りようし》。

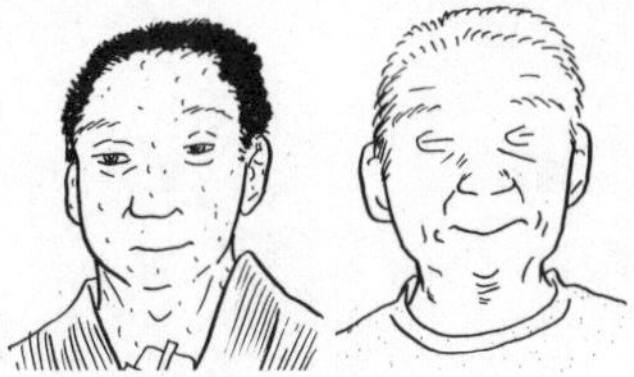

大石了太《おおいしりょうた》（本名《ほんみょう》：良太《りょうた》）

麦《むぎ》の夫《おっと》。麦《むぎ》と離《はな》れ岡山《おかやま》の小島《こじま》にある療養所《りょうようじょ》で暮《く》らす。趣味《しゅみ》は釣《つ》りと酒《さけ》。

しおり

聡子《さとこ》の腹違《はらちが》いの姉《あね》でよき理解者《りかいしゃ》。

教職《きょうしょく》のかたわら、ひそかに不妊治療中《ふにんちりょうちゅう》。

千代《ちよ》（本名《ほんみょう》：はる）

麦《むぎ》の療友《りょうゆう》。小倉弁《こくらべん》を操《あやつ》る。

三井医師《みついいし》

産婦人科医《さんふじんかい》。かつてある病気《びょうき》の医師《いし》として、麦《むぎ》のいる療養所《りょうようじょ》で勤務《きんむ》していた。

恵子《けいこ》（本名《ほんみょう》：桂子《けいこ》）

麦《むぎ》の療友《りょうゆう》。京都《きょうと》の裕福《ゆうふく》な呉服商《ごふくしょう》の一人娘《ひとりむすめ》。

【ハンセン病《びょう》とは】

ハンセン病《びょう》は「らい菌《きん》」によって引《ひ》き起《お》こされる慢性《まんせい》の病気《びょうき》です。感染《かんせん》した人《ひと》の一部《いちぶ》だけが発症《はっしょう》する大変《たいへん》かかりにくいものです。主《おも》に皮膚《ひふ》や末《まっ》しょう神経《しんけい》がおかされ、できものができたり、熱《あつ》さや痛《いた》みを感《かん》じなくなったりします。また、眉毛《まゆげ》が抜《ぬ》ける、手足《てあし》が変形《へんけい》する等目立《などめだ》つところに症状《しょうじょう》が出《で》て、時《とき》に身体障害《しんたいしょうがい》を引《ひ》き起《お》こすために、ハンセン病《びょう》は怖《おそ》れられ、患者《かんじゃ》は長《なが》い間《あいだ》差別《さべつ》され社会《しゃかい》から排除《はいじょ》されてきました。現在《げんざい》は薬《くすり》も開発《かいはつ》され治療法《ちりょうほう》も確立《かくりつ》し完治《かんち》する病気《びょうき》です。

日本《にほん》では一九〇七（明治《めいじ》四〇）年《ねん》に法律《ほうりつ》が公布《こうふ》され、その二年後《にねんご》には療養所《りょうようじょ》が設立《せつりつ》され、資力《しりょく》のない放浪《ほうろう》する患者《かんじゃ》を対象《たいしょう》として隔離政策《かくりせいさく》がはじまりました。患者《かんじゃ》たちは故郷《こきょう》・地域社会《ちいきしゃかい》および家族《かぞく》・親族《しんぞく》と引《ひ》き離《はな》され、医療《いりょう》・生活環境《せいかつかんきょう》が不十分《ふじゅうぶん》な療養所《りょうようじょ》へと隔離《かくり》されていきました。家族《かぞく》・親族《しんぞく》を偏見《へんけん》や差別《さべつ》から守《まも》るために偽名《ぎめい》を名乗《なの》り、療養所内《りょうようじょない》で結婚《けっこん》しても子供《こども》をつくることは許《ゆる》されないなど、患者《かんじゃ》たちはいちじるしく人権《じんけん》を侵害《しんがい》されてきました。

敗戦後《はいせんご》の一九四六（昭和《しょうわ》二一）年《ねん》、日本《にほん》でも特効薬《とっこうやく》プロミンの合成《ごうせい》に成功《せいこう》し、ハンセン病《びょう》は治《なお》る病気《びょうき》になりました。しかし入所者《にゅうしょしゃ》たちの反対運動《はんたいうんどう》にもかかわらず一九五三（昭和《しょうわ》二八）年《ねん》に「癩予防法《らいよぼうほう》」が「らい予防法《よぼうほう》」と改定《かいてい》されても、隔離政策《かくりせいさく》はつづけられ、多《おお》くの入所者《にゅうしょしゃ》は療養所《りょうようじょ》から出《で》られませんでした。社会復帰《しゃかいふっき》をした人々《ひとびと》も、周《まわ》りにハンセン病《びょう》であったことを隠《かく》して暮《く》らさざるをえませんでした。「らい予防法《よぼうほう》」が廃止《はいし》されたのは一九九六（平成《へいせい》八）年《ねん》のことです。

一九九八（平成《へいせい》一〇）年《ねん》、熊本県《くまもとけん》・鹿児島県《かごしまけん》の療養所入所者《りょうようじょにゅうしょしゃ》によって熊本地裁《くまもとちさい》へ「らい予防法《よぼうほう》」をめぐって訴訟《そしょう》が起《お》こされ、二〇〇一（平成《へいせい》一三）年《ねん》、熊本地裁《くまもとちさい》は国《くに》の誤《あやま》りを認《みと》め原告側《げんこくがわ》の完全勝訴《かんぜんしょうそ》の判決《はんけつ》が下《くだ》り、国《くに》は控訴《こうそ》を断念《だんねん》しました。入所者《にゅうしょしゃ》がより高齢化《こうれいか》した現在《げんざい》、充実《じゅうじつ》したケアが必要《ひつよう》とされる等《など》、多《おお》くの課題《かだい》があります。

第《だい》1話《わ》 小《ちい》さなお地蔵《じぞう》さん

一九九六年夏《ねんなつ》
兵庫県姫路《ひょうごけんひめじ》
三井産婦人科
産婦人科
優生保護法指定医
外科
三井産婦人科
お姉《ねえ》ちゃん何《なに》考《かん》えこんどるの
さっさと手術《しゅじゅつ》して帰《かえ》ろう
聡子《さとこ》……
キィィ

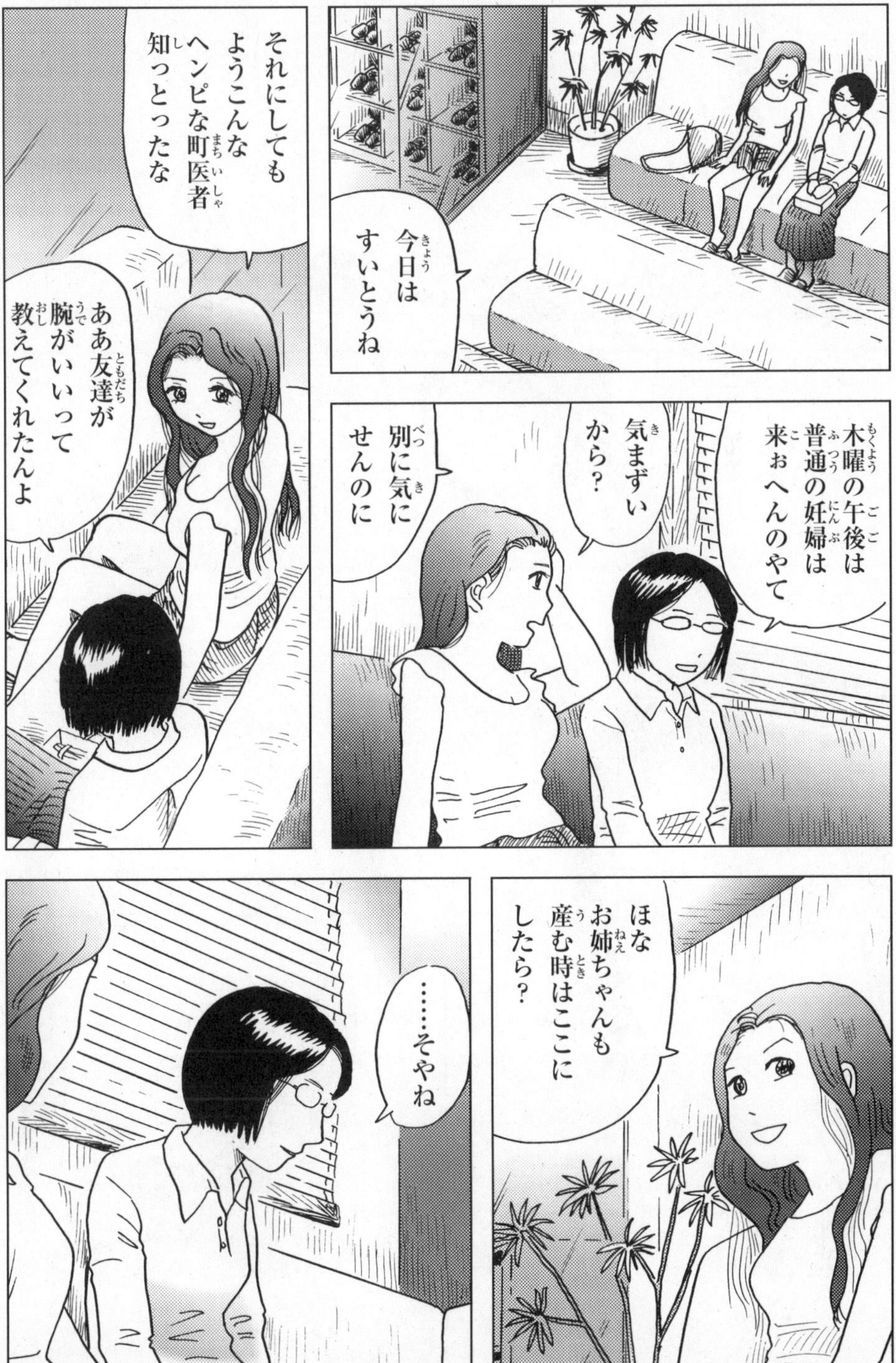
今日《きょう》はすいとうね
木曜《もくよう》の午後《ごご》は普通《ふつう》の妊婦《にんぷ》は来《こ》ぉへんのやて
気《き》まずいから？
別《べっ》に気《き》にせんのに
それにしてもようこんなヘンピな町医者《まちいしゃ》知《し》っとったな
ああ友達《ともだち》が腕《うで》がいいって教《おし》えてくれたんよ
ほなお姉《ねえ》ちゃんも産《う》む時《とき》はここにしたら？
……そやね

まだ何《なに》か心配《しんぱい》しとん？
お姉《ねえ》ちゃんは心配性《しんぱいしょう》やなぁ
能天気《のうてんき》すぎるわ聡子《さとこ》は
できものをとるんと違《ちが》うんやでどういうことかわかっとん？
子供《こども》を堕《お》ろすんでしょ

ネットでちゃんと調《しら》べたもん
初期中絶《しょきちゅうぜつ》は妊娠十二週《にんしんじゅうにしゅう》まで
それを過《す》ぎると手術《しゅじゅつ》が大変《たいへん》で日帰《ひがえ》りでけへん
骨《ほね》ができとうから火葬《かそう》せなならへん
火葬代《かそうだい》も含《ふく》めて何十万《なんじゅうまん》もかかるらしいで
だから急《いそ》いで予約《よやく》したんやんか
どうせ堕《お》ろすなら早《はや》い方《ほう》がええもん
私《わたし》が代《か》わりに育《そだ》てることだってできるんやで
自分《じぶん》で育《そだ》てられないのに産《う》めへんよ
無責任《むせきにん》やしお互《たが》い不幸《ふこう》やん
でも……
もう決《き》めたの

コバヤシ
サトコさん
ですね
数《かず》を数《かぞ》えて
ください
いち
に
さん
妊娠《にんしん》
した?
オレには
もう関係《かんけい》
ないやろ
第一《だいいち》
そんなん
オレの子《こ》か
どーか
わかれへんし
あんなやつの
子供《こども》なんか
産《う》めるわけ
ないやん

しち
はち
……
カー
カー
目《め》がさめたら
帰《かえ》っていただいて
けっこうですよ
窓口《まどぐち》にひと声《こえ》
かけて下《くだ》さいね
はい

バサッ
ん……
あっ
目《め》がさめた？
もうしばらく寝《ね》ていた方《ほう》がいいわよ
……うん
オギャア
オギャア…

ぎゅ…
オギャア…
やっぱり起《お》きる
ギシッ
聡子《さとこ》歩《ある》けるん？
ねえお姉《ねえ》ちゃん

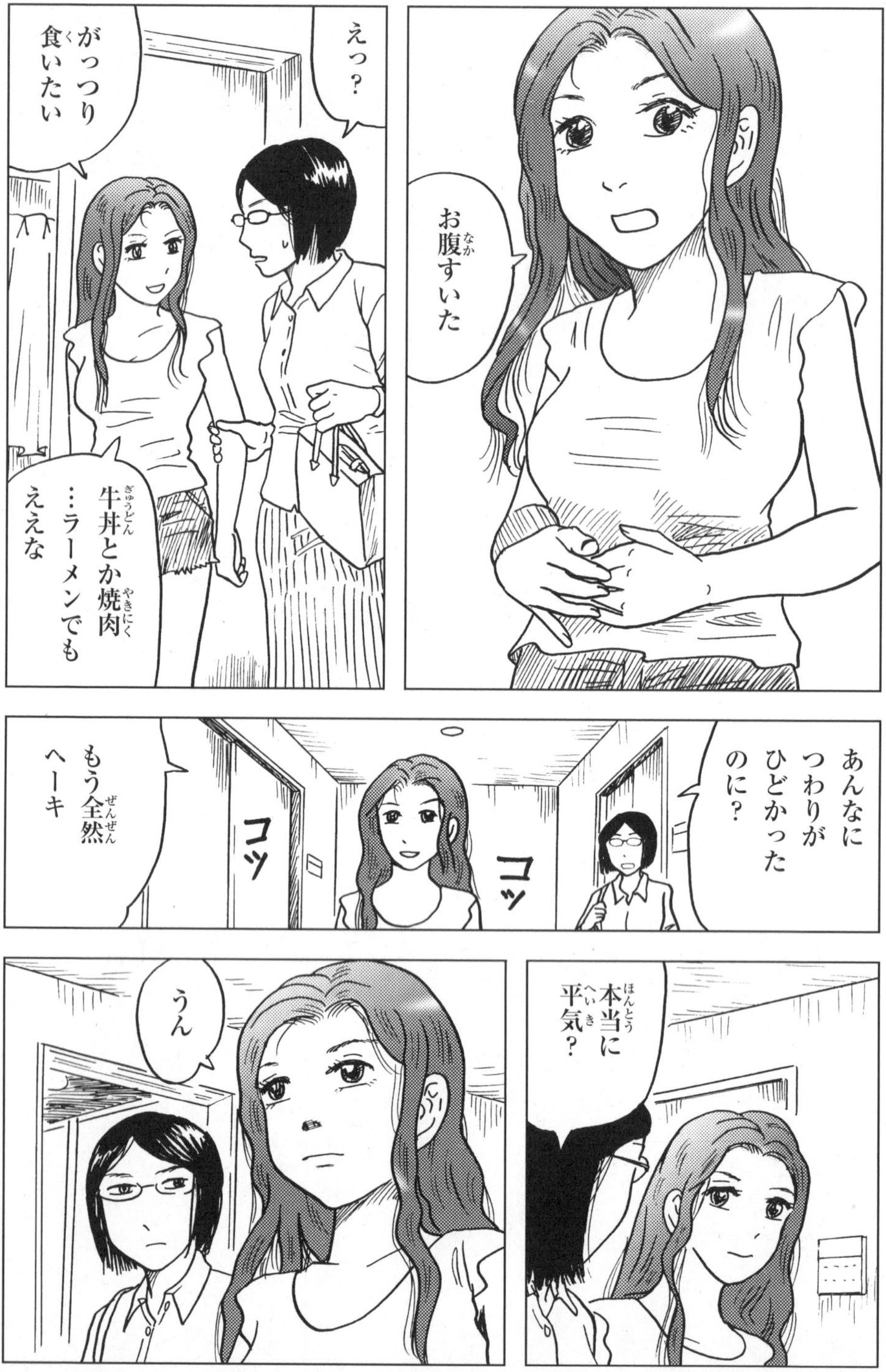

お腹《なか》すいた
えっ？
がっつり食《く》いたい
牛丼《ぎゅうどん》とか焼肉《やきにく》…ラーメンでもええな
あんなにつわりがひどかったのに？
コッ
コッ
もう全然《ぜんぜん》ヘーキ
本当《ほんとう》に平気《へいき》？
うん

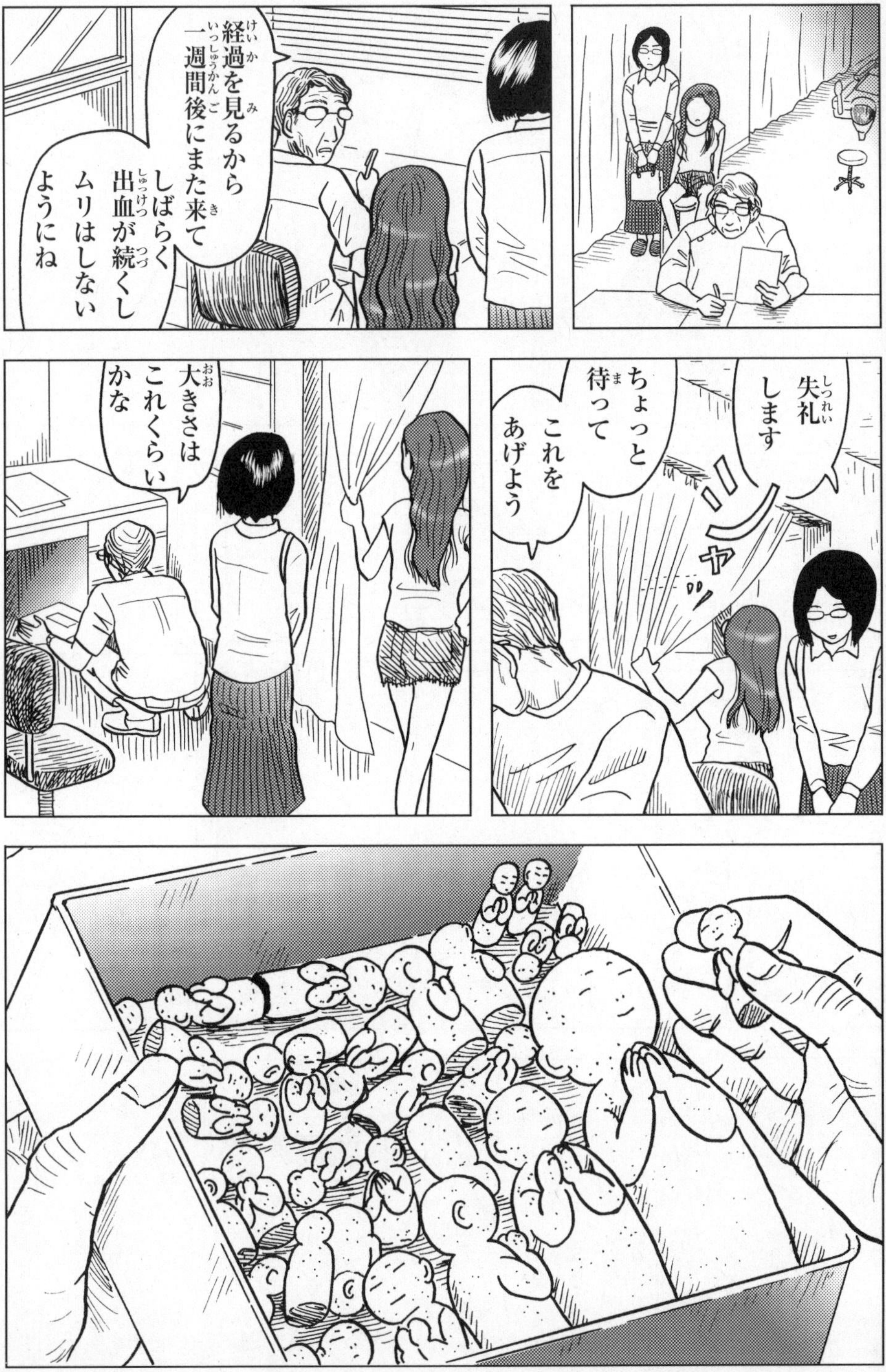
経過《けいか》を見《み》るから
一週間後《いっしゅうかんご》にまた来《き》て
しばらく
出血《しゅっけつ》が続《つづ》くし
ムリはしない
ようにね
失礼《しつれい》
します
シャ
ちょっと
待《ま》って
これを
あげよう
大《おお》きさは
これくらい
かな

なんすかこれ？
お大事《だいじ》に
先生《せんせい》またあんな物《もの》渡《わた》して患者《かんじゃ》さんが気《き》にするでしょう
まあ最近《さいきん》の女《おんな》の子《こ》はあっけらかんとしたものですけど
ねえ麦《むぎ》さん
ふー…

さぁ……
お先《さき》に失礼《しつれい》します
おつかれさまでした
なんやろ これ? 焼《や》き物《もの》やし箸置《はしお》きかな
水子地蔵《みずこじぞう》や
水子《みずこ》……

ポスッ
なんてことすんのあんたは
あほらし
そんなん持《も》っとったらいつまでもひきずらなあかんやん

男《おとこ》はみんな忘《わす》れて次《つぎ》の女《おんな》と付《つ》き合《あ》うんやで
女《おんな》かて忘《わす》れてもええやんか
そこにそば屋《や》あったよな
絶食《ぜっしょく》しとったさかい腹《はら》ぺこや
本町一丁目《ほんまちいっちょうめ》子供会《こどもかい》のみなさんにお知《し》らせします
もう五時半《ごじはん》になりましたので

外《そと》で遊《あそ》んでいる人《ひと》は早《はや》くおうちへ帰《かえ》りましょう
なんだっけこの曲《きょく》
キャンプファイヤーで歌《うた》う曲《きょく》やね

城そば
ほら
ほら
ゲホ
がっ
がっ
プハー
おいしかった

カララン…
ピキャー!
聡子《さとこ》 やっぱり顔色《かおいろ》ようないでタクシー呼《よ》ぼっ
ええて お姉《ねえ》ちゃんにこれ以上《いじょう》迷惑《めいわく》かけられへん
手術代《しゅじゅつだい》たてかえてもろうたのに
うぷっ
ゲボッ
大丈夫《だいじょうぶ》!?

あの……具合悪《ぐあいわる》いの？
さっき病院《びょういん》にいたでしょ
うちで休《やす》んでいきませんか？
理容院《りよういん》の奥《おく》が私《わたし》の家《うち》なの
CLOSED
私《わたし》一人《ひとり》だから遠慮《えんりょ》しないで
洗髪台《せんぱつだい》よりお布団《ふとん》の方《ほう》が楽《らく》でしょう
すみません助《たす》かりました
あの病院《びょういん》には時々《ときどき》シャンプーの出張《しゅっちょう》サービスに行《い》くのよ
そうなんですか

申《もう》し遅《おく》れましたが 私《わたし》はしおり この子《こ》は妹《いもうと》の 聡子《さとこ》です お見苦《みぐる》しい ところを お見《み》せして しまいました
後日改《ごじつあらた》めて お礼《れい》にうかがいます
いいのよ わざわざ そんな
いえ 検査《けんさ》でまたここを 通《とお》りますし
妹《いもうと》さん思《おも》い なんやね
こんな妹《いもうと》 なので ほうっておく わけにも いかず……
あっ
ここにも 地蔵《じぞう》がいる

悪《わる》いけどさっき病院前《びょういんまえ》で聞《き》いてしまったの
この子《こ》も水子地蔵《みずこじぞう》なんよ
え……
——ってことはこのばーさんも？
さっ 少《すこ》しおやすみなさい
私《わたし》は店《みせ》を片付《かたづ》けてくるわね

オギャア…
ホギャア…
その位《くらい》の大《おお》きさだったよ
きみが捨《す》てた赤《あか》ん坊《ぼう》
捨《す》ててないもん
もとからおれへんかったんやもん

――子《こ》
聡子《さとこ》……
……あ
夢《ゆめ》かぁ
大丈夫《だいじょうぶ》？うなされてたで
なんでもない
もう大丈夫《だいじょうぶ》
おじゃましました
ゆっくりしていったらええのに

またいつでも
遊《あそ》びに来《き》てね
麦《むぎ》さん
今日《きょう》は本当《ほんとう》に
ありがとうございます
あの
ばーさんも
若《わか》い頃《ころ》
子供《こども》を
亡《な》くしたのか
昔《むかし》……何《なに》が
あったんだろう

第《だい》2話《わ》
最初《さいしょ》から いなかった

聡子《さとこ》が
中絶手術《ちゅうぜつしゅじゅつ》を
受《う》けて
一週間後《いっしゅうかんご》
ピリリリ…
ピリリリ…
ピリリリ…
ザーッ
ピリリ…
ピッ
なにか用《よう》？
お姉《ねえ》ちゃん
あ？
ケンサ？

〜!?
わかっとうってば
四時《よじ》までに行《い》けば
ええんやろ
聡子《さとこ》ったらもお
他人事《ひとごと》みたいに
ピ
聡子《さとこ》ちゃんと
どっか
出《で》かけるん?
う…うん
ちょっと買物《かいもの》
和菓子
はりまや
雨降《あめふ》ったら
洗濯物《せんたくもの》
取《と》り込《こ》んでよ
おう
気《き》ぃ
つけてな

はあ…
今《いま》聡子《さとこ》の顔《かお》見《み》たら
ぶん殴《なぐ》ってしまいそうやわ
優生保護法指定医
外科
三井産婦人科
ザーーッ
…ギャア
ホギャア…
ホギャァァ
あっ……
産《う》まれたようですね
ええなぁ 私《わたし》も早《はよ》う産《う》まれんかな

産《う》まれたての赤《あか》ちゃんを毎日《まいにち》見《み》られるなんて
ええ仕事《しごと》やね麦《むぎ》さん
……そうですね
トン
トン…
コバヤシさん
小林聡子《こばやしさとこ》さん
……
…
…

聡子《さとこ》
聡《さと》……
お姉《ねえ》ちゃんは来《こ》なくてええよ
そうはいかへんでしょあんた未成年《みせいねん》なんやで
あらしおりさん
聡子《さとこ》っ！
先日《せんじつ》はどうもこれお礼《れい》に
まあまあ

妹《いもうと》さんの具合《ぐあい》はもうええの？
えっ ええおかげさまで それじゃ失礼《しつれい》します
…
このまま出血《しゅっけつ》が止《と》まればもう来《こ》なくていいよ
何《なに》か質問《しつもん》は？
あの…

捨《す》ててないもん
もとからおらへんかったんやもん
……いえいいです
先生《せんせい》
中絶《ちゅうぜつ》すると子供《こども》ができにくくなるって
本当《ほんとう》ですか
ちゃんとした手術《しゅじゅつ》ならその可能性《かのうせい》は低《ひく》い
早《はや》ければ二週間《にしゅうかん》で排卵《はいらん》が始《はじ》まるよ

でも次《つぎ》に生《う》まれてくる子《こ》は
堕《お》ろした子《こ》とは別人《べつじん》だ
帰《かえ》ろうお姉《ねえ》ちゃん
次《つぎ》来《く》る時《とき》はお産《さん》でね
そんなん

あたしの勝手《かって》でしょ
堕《お》ろすのが悪《わる》いんなら
先生《せんせい》も同罪《どうざい》やん

聡子《さとこ》っ！
……悪《わる》いとは言《い》ってないよ
そういう仕事《しごと》だからでしょ
さと……
シャッ
ふー…
しおりさんはあさってホルモンの注射《ちゅうしゃ》打《う》ちに来《き》てね

＊姫路《ひめじ》の方言《ほうげん》で、はらわたが煮《に》えくり返《かえ》る、という意味《いみ》。

うあああん
スイマセン
ああ〜
ああ〜ん
……
ミーン
ミンミン
ミ…
ミーン
ミン
ミー…
それ耳栓《みみせん》やったんやね
別《べっ》に
あたし子供《こども》嫌《きら》いやし

痛《いた》い思《おも》いして産《う》んだ子供《こども》の世話《せわ》にしばられるなんて
まっぴらや
あんたは責任《せきにん》感《かん》じひんの？
文句《もんく》なら元《もと》カレに言《い》うてよ
そやない
お腹《なか》にいる間《あいだ》少《すこ》しでも
いとしいとかかわいいとか思《おも》わへんかった？

ありえへん
私《わたし》の都合《つごう》を無視《むし》して勝手《かって》に受精卵《じゅせいらん》になっただけやん
お姉《ねえ》ちゃん？
なんで……あんたの方《ほう》やったんやろ

望《のぞ》んでる者《もの》にはできひんと
不妊治療《ふにんちりょう》してもう五年《ごねん》も経《た》つのに
言《ゆ》うたでしょ今日《きょう》でなきゃダメなんよ
しおり
そこまでせんでもええやろ
私《わたし》いつまでも若《わか》くないんよ
年《とし》とるほどリスクが高《たか》くなるんやで

……ごめん 来月《らいげつ》は 頑張《がんば》るから
知《し》らんかった ゴメン

私《わたし》も前《まえ》は子供《こども》苦手《にがて》やったよ
えっ
だってお姉《ねえ》ちゃん……
父《とう》さんが再婚《さいこん》して
いきなりひと回《まわ》りも下《した》の妹《いもうと》ができるまではな
くす…
なに？
あんたは初対面《しょたいめん》からなれなれしかったな
まるでずっと前《まえ》から妹《いもうと》だったみたいに

まるで
ずっと前《まえ》から
そばにいた
みたいに
ミーン ミン ミー…
子供《こども》なんて
嫌《きら》いだった
のに
しーおーちゃん
虫《むし》とり
いこ
ついてきたら
あかんよ
これから
夏期講習《かきこうしゅう》
なんやから
しおちゃんは
マジメやなぁ
男《おとこ》は度胸《どきょう》
女《おんな》は愛嬌《あいきょう》やで
あんたのパパ
愛嬌《あいきょう》で
惚《ほ》れさせたんや

しおちゃんって 呼《よ》ぶの やめてください
父《ちち》の話《はなし》も しないで
ミーン ミン ミン ミー…
ミン ミー…
しおちゃん
しおちゃん!
しおちゃんって 呼《よ》ばないで
だって ママも――
まって
しおちゃん

あっ
ちょうちょ!
ブロオオ…
あ〜ぁ
もう! 危《あぶ》ないでしょ
子供《こども》も悪《わる》くないな
そう思《おも》った

どこいくの
おねえちゃん
ミーンミンミー…
遅刻《ちこく》や
今日《きょう》は休《やす》む
とったー!!

あんた 血《ち》ぃ見《み》るん怖《こわ》くて よう泣《な》きよったな
初潮《しょちょう》の時《とき》も 美加《みか》さんじゃなく 私《わたし》に……
そんなん昔《むかし》の話《はなし》やんか
今《いま》と一緒《いっしょ》や 困《こま》るとすぐ頼《たよ》ってくる
ガガ…
……
本町一丁目《ほんまちいっちょうめ》子供会《こどもかい》のみなさんに
もう五時半《ごじはん》になりましたので 外《そと》で遊《あそ》んでいる人《ひと》は 早《はや》くおうちへ帰《かえ》りましょう
早《はや》くおうちへ帰《かえ》りましょうか……

おうち帰《かえ》ろう
しおちゃん
ぷ…
あはは…久《ひさ》しぶりにお父《とう》さんの顔《かお》見《み》に行《い》こうか
ぜったいイヤ!
また説教《せっきょう》される
あんた この頃《ごろ》美加《みか》さんそっくりになってきたね
お父《とう》さんあれであんたのことかわいくてしかたないんやで

お父《とう》さんはお姉《ねえ》ちゃんしか見《み》てへんよ
あたしなんかでき悪《わる》いし口悪《くちわる》いし継子《ままこ》やし
ねえお姉《ねえ》ちゃん
なんでママのこと美加《みか》さんって呼《よ》ぶん？
私《わたし》とはすぐ姉妹《きょうだい》になれたのに
…さぁなんでかねぇ
聡子《さとこ》
あんたの子供《こども》かて
産《う》まれたら手《て》をつなげたし
一緒《いっしょ》にごはん食《た》べたはず

あんたは自分《じぶん》が何《なに》を失《うしな》ったかわかってへん
……ううん
わかってて目《め》をそむけとる

ホギャア‥
オギャア‥
オギャア‥
小林聡子《こばやしさとこ》さん
元気《げんき》なお子《こ》さんですよ
男《おとこ》の子《こ》？
女《おんな》の子《こ》？

チチッ
チュン…
チュン…
また この夢《ゆめ》

一生《いっしょう》のうちに
何百個《なんびゃくこ》も排卵《はいらん》
する卵子《らんし》
その一《ひと》つが
ダメになった
だけやんか
次《つぎ》来《く》るときは
お産《さん》でね
あんたは責任《せきにん》
感《かん》じひんの?
お腹《なか》にいる間《あいだ》
少《すこ》しでも
いとしいとか
かわいいとか
思《おも》わへんかった?

あんたは自分《じぶん》が何《なに》を失《うしな》ったかわかってへん
…ううん
わかってて目《め》をそむけとる
わからへん
したくて妊娠《にんしん》したわけじゃないし

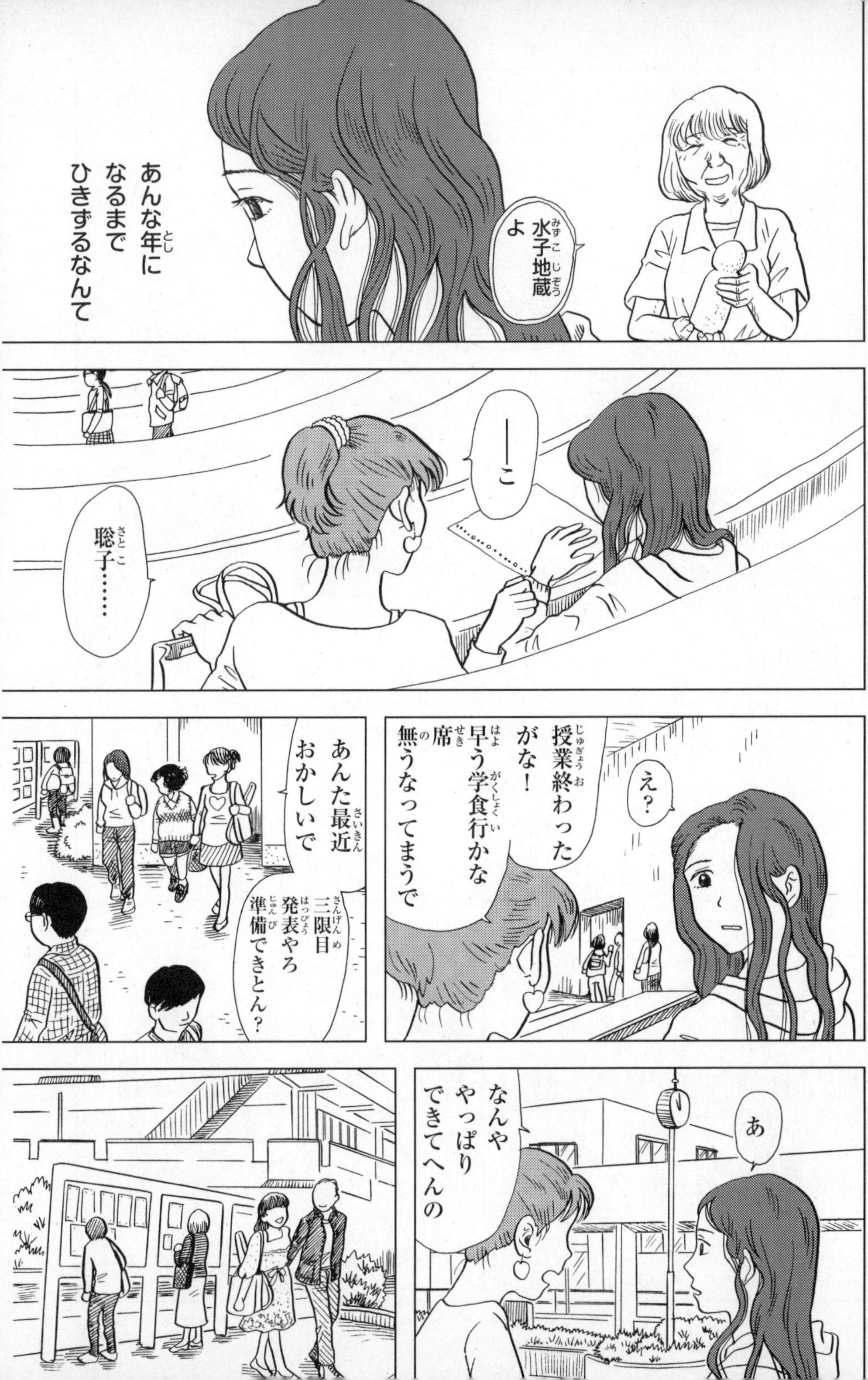
水子地蔵《みずこじぞう》よ
あんな年《とし》に
なるまで
ひきずるなんて
――こ
聡子《さとこ》……
え？
授業《じゅぎょう》終《お》わった
がな！
早《はよ》う学食《がくしょく》行《い》かな
席《せき》
無《の》うなってまうで
あんた最近《さいきん》
おかしいで
三限目《さんげんめ》
発表《はっぴょう》やろ
準備《じゅんび》できとん？
あ
なんや
やっぱり
できてへんの

ちょっと
あれ！
聡子《さとこ》の元《もと》カレやん
もう新《あたら》しい女《おんな》に乗《の》りかえたんやな
帰《かえ》る
えっ
ちょっ…
聡子《さとこ》!?
ブオオ…

プシュウ…
本町《ほんまち》二《に》丁目《ちょうめ》です
CLOSED

ガガ…
二丁目子供会《にちょうめこどもかい》の皆《みな》さんにお知《し》らせします
もう五時半《ごじはん》になりましたので外《そと》で遊《あそ》んでいる人《ひと》は
ワォォン
早《はや》くおうちへ帰《かえ》りましょう
ほーしは…
そーらを…
ちーりー
ばー…
めー
ぬー
♫ふんふふん～♪

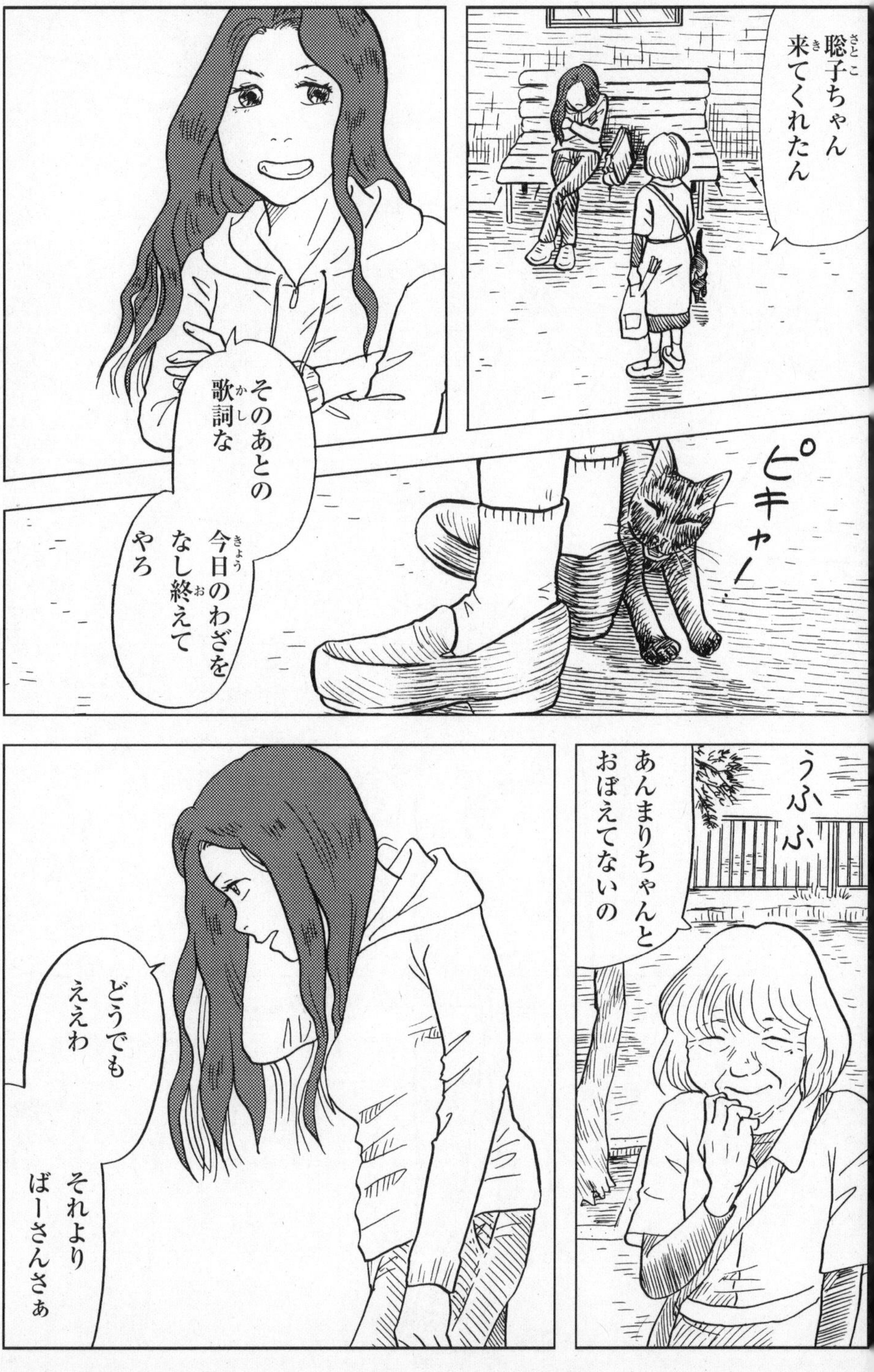
聡子《さとこ》ちゃん
来《き》てくれたん
そのあとの
歌詞《かし》な
今日《きょう》のわざを
なし終《お》えて
やろ
ピキャ！
うふふ
あんまりちゃんと
おぼえてないの
どうでも
ええわ
それより
ばーさんさぁ

死《し》んだ子供《こども》のこと
ずっと引《ひ》きずっとん？何十年《なんじゅうねん》も
バッカみたい

一生《いっしょう》背負《せお》うのよ
私《わたし》もあなたも

一生《いっしょう》…って
長《なが》い話《はなし》になるけど聞《き》いてってくれる？
カチャ
私《わたし》が子供《こども》を殺《ころ》した話《はなし》を
え？
殺《ころ》した!?
カラン

なんであたしは
ここに来《き》たん
だっけ……
ピキャー!!
水《みず》子《こ》地《じ》蔵《ぞう》を夢《ゆめ》に
まで見《み》てしまって
むしゃくしゃして
水《みず》子《こ》地《じ》蔵《ぞう》を
後《ご》生《しょう》大《だい》事《じ》にしてる
ばーさんに八《や》つ当《あ》たり
したらすっきりする
かなって
それだけ
だったのに
うっかりこの
ばーさんの
長《なが》い長《なが》い昔話《むかしばなし》を
聞《き》かされる
はめになった

私《わたし》は大正十《たいしょうじゅう》二《に》年《ねん》生《う》まれ
コポポ
家《いえ》は姫路《ひめじ》の山奥《やまおく》の農家《のうか》でね
二《ふた》つ上《うえ》の姉《あね》と四《よっ》つ下《した》の弟《おとうと》
両親《りょうしん》と祖母《そぼ》の六人家族《ろくにんかぞく》
でも母《はは》は私《わたし》が十歳《じゅっさい》のときに
いなくなってしまったの

第《だい》3話《わ》
麦《むぎ》の子《こ》供《ども》時《じ》代《だい》

私《わたし》が四歳《よんさい》の頃《ころ》
村人《むらびと》から隠《かく》れて
母《はは》は馬小屋《うまごや》で
暮《く》らしていた
ここに来《き》たら
あかん
言《い》うたやろ
私《わたし》はこっそり
会《あ》いに行《い》って
母《はは》に歌《うた》を
せがんだ
でも母《はは》は私《わたし》が
十歳《じゅっさい》のとき
とつぜん
いなくなった
お母《かあ》さんはもう
戻《もど》って来《こ》ぉへん
のや

お母《かあ》さんの
話《はなし》はするな
父《ちち》にそう言《い》われても納得《なっとく》できなかった
返《かえ》して!
返《かえ》してえなお姉《ねえ》ちゃん
お母《かあ》さんの作《つく》った人形《にんぎょう》
捨《す》てんといて!
なんぼ待《ま》ったかて帰《かえ》って来《こ》ぉへんわ
あかん返《かえ》して
やめっ

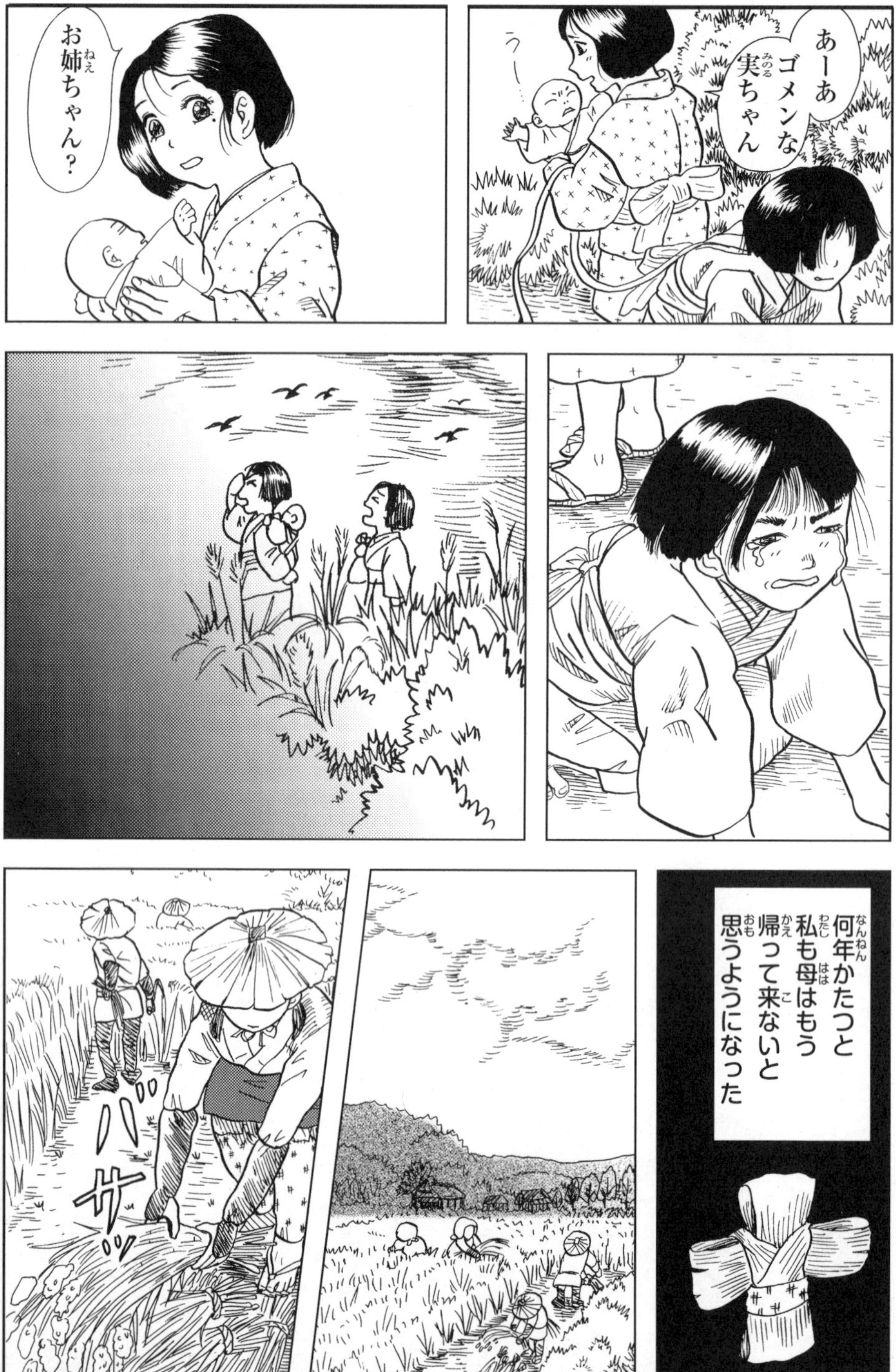

あーあ
ゴメンな
実《みのる》ちゃん
うー…
お姉《ねえ》ちゃん？
何年《なんねん》かたつと
私《わたし》も母《はは》はもう
帰《かえ》って来《こ》ないと
思《おも》うようになった
バサッ

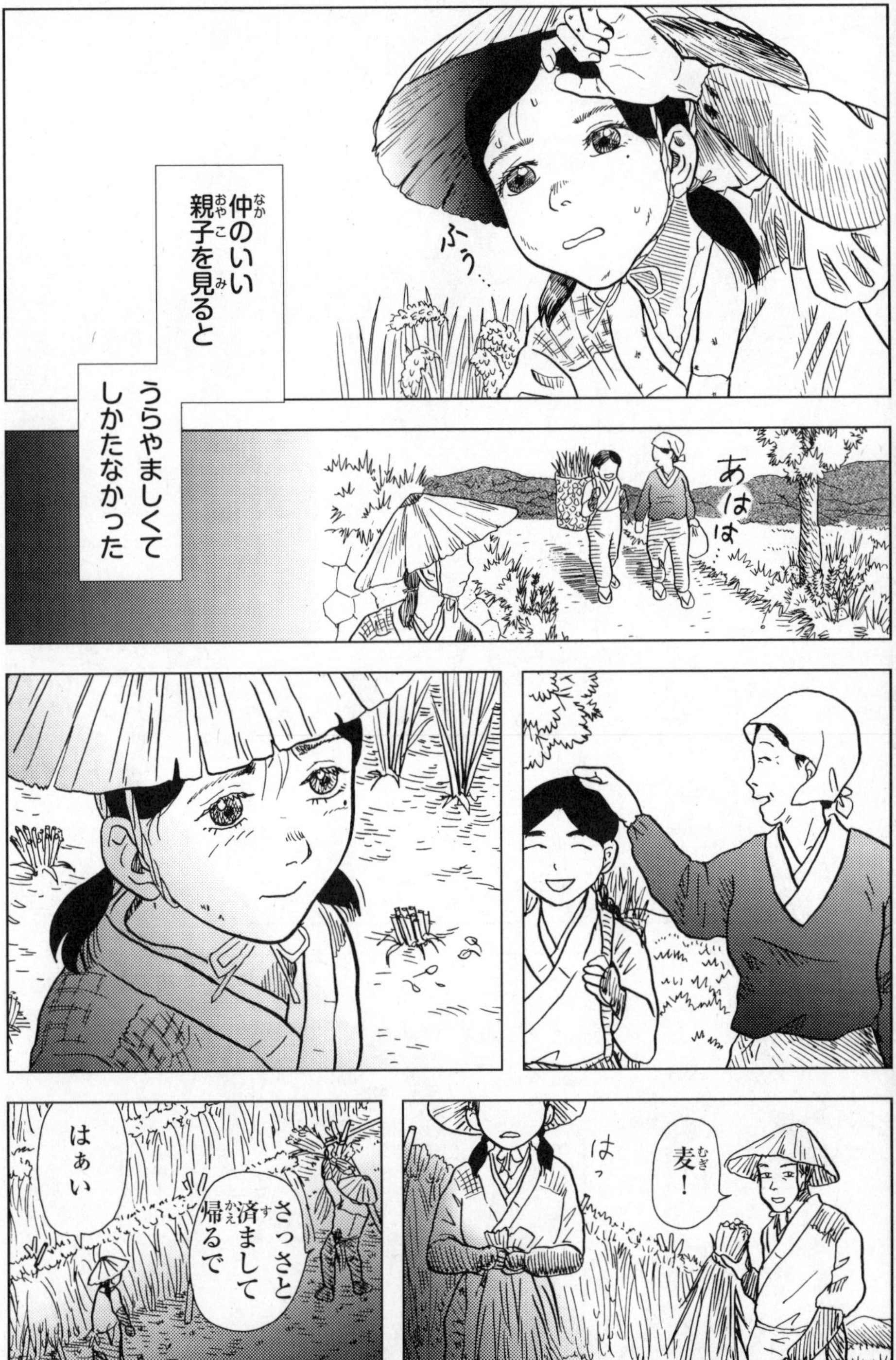
ふう…
仲《なか》のいい
親子《おやこ》を見《み》ると
うらやましくて
しかたなかった
あはは…
麦《むぎ》！
はっ
さっさと
済《す》まして
帰《かえ》るで
はぁい

カサ…
バサッ
麦《むぎ》
その人形《にんぎょう》
まだ捨《す》ててへんかったん？
だってこれお母《かあ》さんの……
なに言《い》うとん
そんな物《もの》捨《す》てとき
麦《むぎ》や実《みの》るはまだ
小《ちい》そうて覚《おぼ》えてへんかもしれんけど
あの女《おんな》は私《わたし》らを捨《す》てたんやさかいな！

麦姉《むぎねえ》ちゃん
これあげる
実《みのる》ちゃん あんたまた ため池《いけ》で 遊《あそ》んで……
なあに?
──っ!
こぉら 実《みのる》ちゃん
や~い むぎふみ!
麦《むぎ》って 名前《なまえ》はな
元気《げんき》で まっすぐ育《そだ》つ ようにって 意味《いみ》なんや
でっ
ひ──
あはは
ごめんなさい もう言いません
麦《むぎ》っ! 実《みのる》っっ!!
いつまで 遊《あそ》んどん 帰《かえ》るで
は…

実《みのる》ちゃんのあほう
バシャ
私《わたし》までお姉《ねえ》ちゃんに叱《しか》られたがな
ふー…
麦《むぎ》あんた首《くび》のアザどないしてん
さぁ……別《べつ》に痛《いと》うないけど
ならええわうちは医者《いしゃ》にかかる金《かね》なんかないさかいな
ぷいっ
ちょっと位《くらい》心配《しんぱい》してえな
どうせまた山《やま》でアケビ採《と》りでもして漆《うるし》にかぶれたんやろ
麦姉《むぎねえ》山猿《やまざる》やから
あはは…
う…ん…

あっ
麦《むぎ》の名前《なまえ》はな
元気《げんき》でまっすぐ育《そだ》つようにってつけたんよ
早《はよ》う母屋《おもや》に戻《もど》らんと
またおばあちゃんに叱《しか》られるで
きゅ…
なに？
なんでもない

シャキ
シャキ
これ！　國夫《くにお》
動《うご》くと
耳《みみ》落《お》ちるで
あ
よお
クニ坊《ぼう》
散髪《さんぱつ》か
え
ええ
この頃《ごろ》
麦《むぎ》と一緒《いっしょ》に
遊《あそ》ばんのやな
シャキ
シャキ
オレも散髪《さんぱつ》
してほしいな
國夫君《くにおくん》の
おばさんに
頼《たの》んで
みよかな

よし
ほな帰《かえ》ったら
散髪《さんぱつ》しよか
ええー!?
麦姉《むぎねえ》
やっぱり國夫君《くにおくん》の
おばさんに頼《たの》もうや
頼《たの》んだら
お礼《れい》せな
あかんやん
気《き》いつけてや
耳切《みみき》ったり
せんといてよ
大丈夫《だいじょうぶ》!
ゴキッ
お姉《ねえ》ちゃんを
信《しん》じなさい
……
早《はよ》う
済《す》ませてや

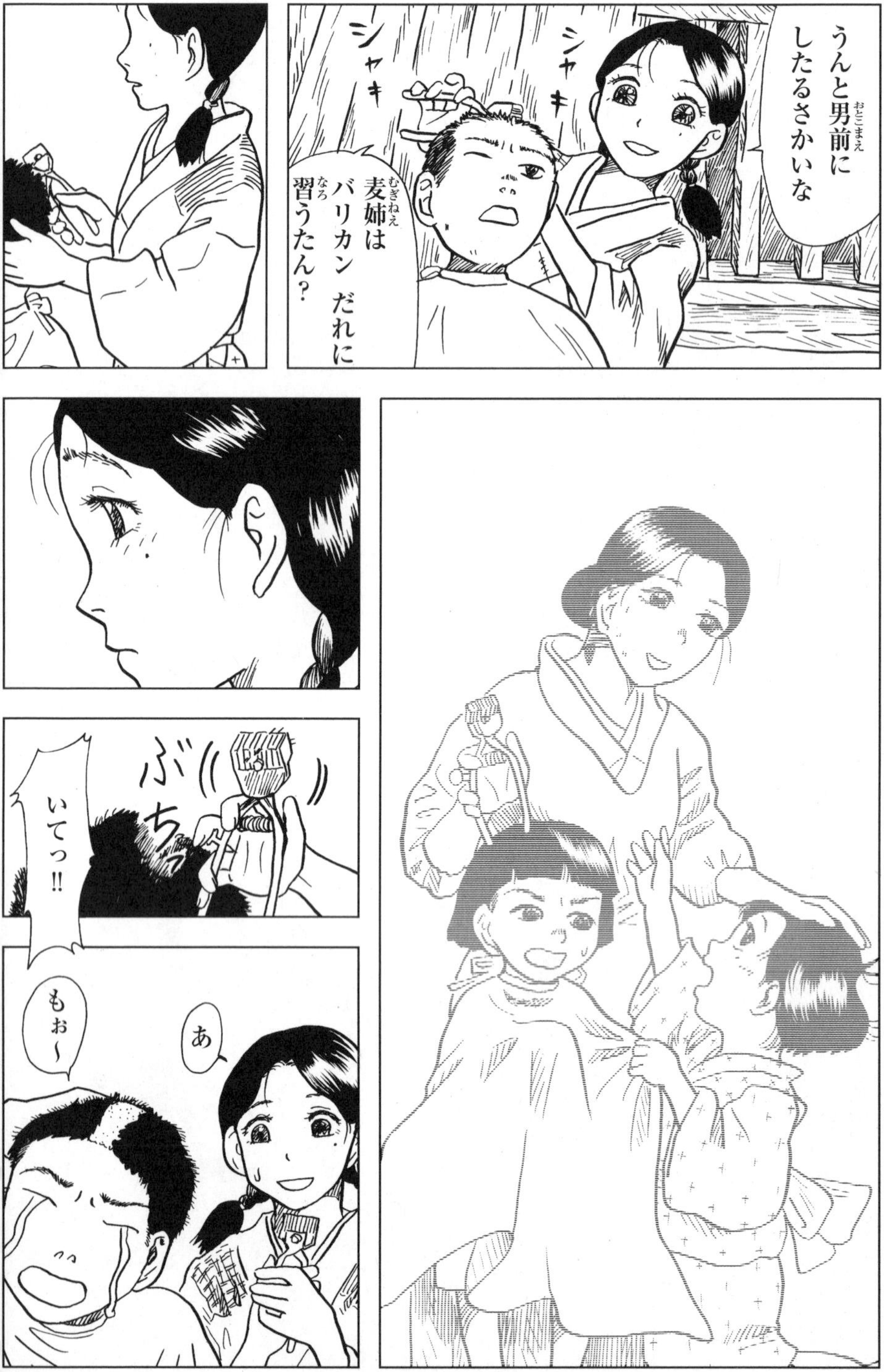
うんと男前《おとこまえ》にしたるさかいな
シャキ
シャキ
麦姉《むぎねえ》はバリカン だれに習《なろ》うたん？
ぶちっ
いてっ!!
あ
もぉ～

お父《とう》さんは？
いっ…いや
わしはええで
ぜー
ぜー
くるっ
か…回覧板《かいらんばん》
回《まわ》してくる！
お姉《ねえ》ちゃん
それザルやで
は…
ちぇっ
あーあ 早《はや》く
伸《の》びひんかな
勘弁《かんべん》して
な〜〜

昭和《しょうわ》十五年《じゅうごねん》
麦《むぎ》 十七歳《じゅうななさい》
治《なお》ったら
動《うご》かせるわな?
ただの
神経痛《しんけいつう》や
カタン

麦《むぎ》さん
麦《むぎ》さん？
あっ 國夫《くにお》君《くん》の おばさん
さっきから 呼《よ》んどるのに
親戚《しんせき》から 団子《だんご》もろたの 食《た》べて
わぁ いつもありがとう ございます
髪切《かみき》ったんやな 似合《にお》うてるけど
首《くび》にアザがあったら おしゃれが 台無《だいな》しやん
え…これ 別《べつ》に痛《いた》く ないし
私《わたし》が母親《ははおや》なら すぐに医者《いしゃ》に 連《つ》れて行《い》くで
國夫《くにお》のいとこが 腕《うで》のいい医者《いしゃ》なの 教《おし》えてあげるわ
行《い》って きなさい
は…… はい

本町医院
内科
腕《うで》のいい医者《いしゃ》って
おばさんが
言《い》ってたのに
なんの病気《びょうき》か
わからんって
どういうこと？
カタ
カタタ
まっええわ
早《はよ》うマキ先生《せんせい》を
手伝《てつだ》わないと
この頃《ごろ》カットの
お客《きゃく》多《おお》いもんな
カタ
カタタ
数日後《すうじつご》
白衣《はくい》を着《き》た
人《ひと》たちが
来《き》た
シューッ
シューッ

ゲホ
ゲホッ
シュ
シュ
なんでうちを消毒《しょうどく》するの
麦《むぎ》あんたは奥《おく》にいなさい
悪《わる》いけど患者《かんじゃ》が出《で》た家《いえ》はこうする決《き》まりなんです
おばあちゃん私《わたし》マキ先生《せんせい》のところに
行《い》ったらあかん
きっと店《みせ》も同《おな》じように消毒《しょうどく》されとる

えっ!?
どうしてこないなことに
だれか通報《つうほう》したんやろ
前《まえ》もそうやった
前《まえ》って?
いや
なんでもない
母親《ははおや》が病気《びょうき》の血筋《ちすじ》だったんやな
ちゃうで
あれは伝染病《でんせんびょう》や
親戚《しんせき》の医者《いしゃ》から通報《つうほう》してもろた
万一《まんいち》にも病気《びょうき》を移《うつ》されたら大変《たいへん》やもん

あの子《こ》の母親《ははおや》どうしたんやろ
帰《かえ》ってこんいうことは病気《びょうき》で死《し》んだんやろ
シューッ
シューッ
あない消毒《しょうどく》するほど恐《おそ》ろしいんやな
かっ帰《かえ》ろ帰《かえ》ろ
こんな所《ところ》におったら病気《びょうき》が移《うつ》ってまう
ヨネの嫁《とつ》ぎ先《さき》まで消毒《しょうどく》されて姑殿《しゅうとどの》が離縁《りえん》せいと騒《さわ》いどる
これ以上《いじょう》騒《さわ》ぎにならんうちに麦《むぎ》もよそへやらなあかん
お父《とう》さん麦姉《むぎねえ》の病気《びょうき》って何《なん》なん？
お父《とう》さん！
お風呂《ふろ》グラグラいうとうで
パチパチッ

*当時《とうじ》のハンセン病《びょう》の呼《よ》び名《な》。

…*らい病《びょう》や
らい？
体中《からだじゅう》出来物《できもの》ができて膿《うみ》が出《で》たり手足《てあし》や目《め》がダメになって歩《ある》けんようになる
そういう病気《びょうき》に麦《むぎ》はなっとったんや

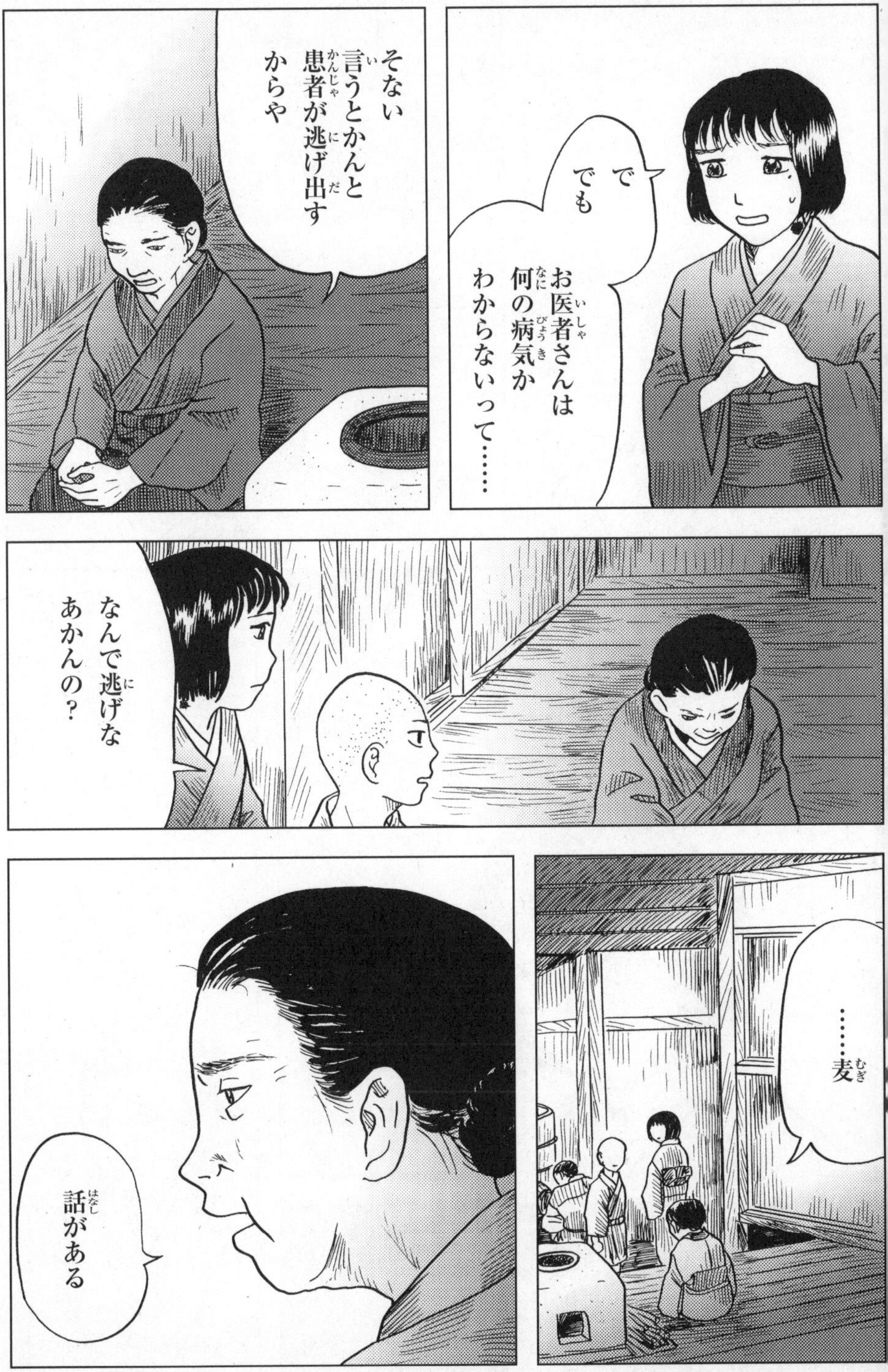

でも
お医者《いしゃ》さんは何《なに》の病気《びょうき》かわからないって……
そない言《い》うとかんと患者《かんじゃ》が逃《に》げ出《だ》すからや
なんで逃《に》げなあかんの？
……麦《むぎ》
話《はなし》がある

入院《にゅういん》!?
岡山《おかやま》の病院《びょういん》なら
なんとか入《い》れてもらえるそうや
岡山《おかやま》なら家《いえ》から通《かよ》えるやん
私《わたし》がおらな家《いえ》のことも畑仕事《はたけしごと》も困《こま》るやろ
通院《つういん》はやってへん 家《いえ》でこじらせるより入院《にゅういん》して国《くに》に面倒《めんどう》みてもらう方《ほう》がええ
この病気《びょうき》は移《うつ》るからほっとかれん 患者《かんじゃ》が…麦《むぎ》が家《いえ》に居《い》るかぎりたびたび消毒《しょうどく》に来《く》るらしい

＊髪《かみ》を巻《ま》くための道具《どうぐ》。

行《い》くで
麦姉《むぎねえ》！
稲刈《いねか》りまでには帰《かえ》れよ
うちは人手《ひとで》が足《た》りひんのやで
やめんか実《みのる》 近所《きんじょ》の人《ひと》が目《め》えさますやろ
ガッチャ。
ガッチャ…
一日《いちにち》でも早《はよ》う帰《かえ》ってくるんやで!!
掃除《そうじ》も水《みず》くみもずっと俺《おれ》一人《ひとり》でやりたないし散髪《さんぱつ》かて人《ひと》に頼《たの》むとお礼《れい》せなあかんやろ

第《だい》4話《わ》
療養所《りょうようじょ》へ
岡山《おかやま》の小島《こじま》にある
というその病院《びょういん》に
行《い》けば
半年《はんとし》ほどで
治《なお》って帰《かえ》れる
という話《はなし》でした

＊物《もの》をめぐんでくれるように頼《たの》む人《ひと》。

＊弘法大師《こうぼうだいし》（空海《くうかい》）の足跡《そくせき》をたどり、四国八十八ヶ所《しこくはちじゅうはちかしょ》の霊場《れいじょう》を巡拝《じゅんぱい》する人《ひと》。

さあ
行《い》けば
わかるやろ
ガチャ
ガッチャ
シュウゥ…
あんたは
こっちや
傳染病患者
護送中
ニ付キ一般ノ
乗車ヲ禁ズ

ガ゛ーーン
ヤ゛ッ
まっくら
カサッ
持《も》ってきてしもた
お母《かあ》さんの作《つく》った人形《にんぎょう》

お前《まえ》の母親《ははおや》も——
お父《とう》さんなんて言《い》おうとしたん？
帰《かえ》ったら聞《き》かなあかん
帰《かえ》ったら——
店《みせ》を消毒《しょうどく》されて迷惑《めいわく》かけたけど
右手《みぎて》が治《なお》ったらマキ先生《せんせい》はまた雇《やと》ってくれるかな
おばあちゃん
私《わたし》の分《ぶん》まで無理《むり》して畑仕事《はたけしごと》して大丈夫《だいじょうぶ》かな
叱《しか》ってばかりのお姉《ねえ》ちゃん
帰《かえ》ったらまた謝《あやま》らなきゃ

私《わたし》がいなくなったら誰《だれ》が実《みのる》ちゃんの髪《かみ》を刈《か》るんやろ
私《わたし》本当《ほんま》に帰《かえ》れるんかな
カタタン
タタン
カタタ
ガタッ
はっ
おかやま
おかやま
シュウウ…
全員《ぜんいん》降《お》りなさい

あんたも早《はよ》う降《お》りて
触《さわ》らんといて
大事《だいじ》なもんやさかい

フン
病人《びょうにん》のくせに
よろ
大丈夫《だいじょうぶ》？
手伝《てつだ》いましょうか？
ほな　頼《たの》むわ
＊モンペの姉《ねえ》ちゃんなら盗《ぬす》む知恵《ちえ》もなさそうやし
……

＊女性《じょせい》の作業用《さぎょうよう》ズボン。

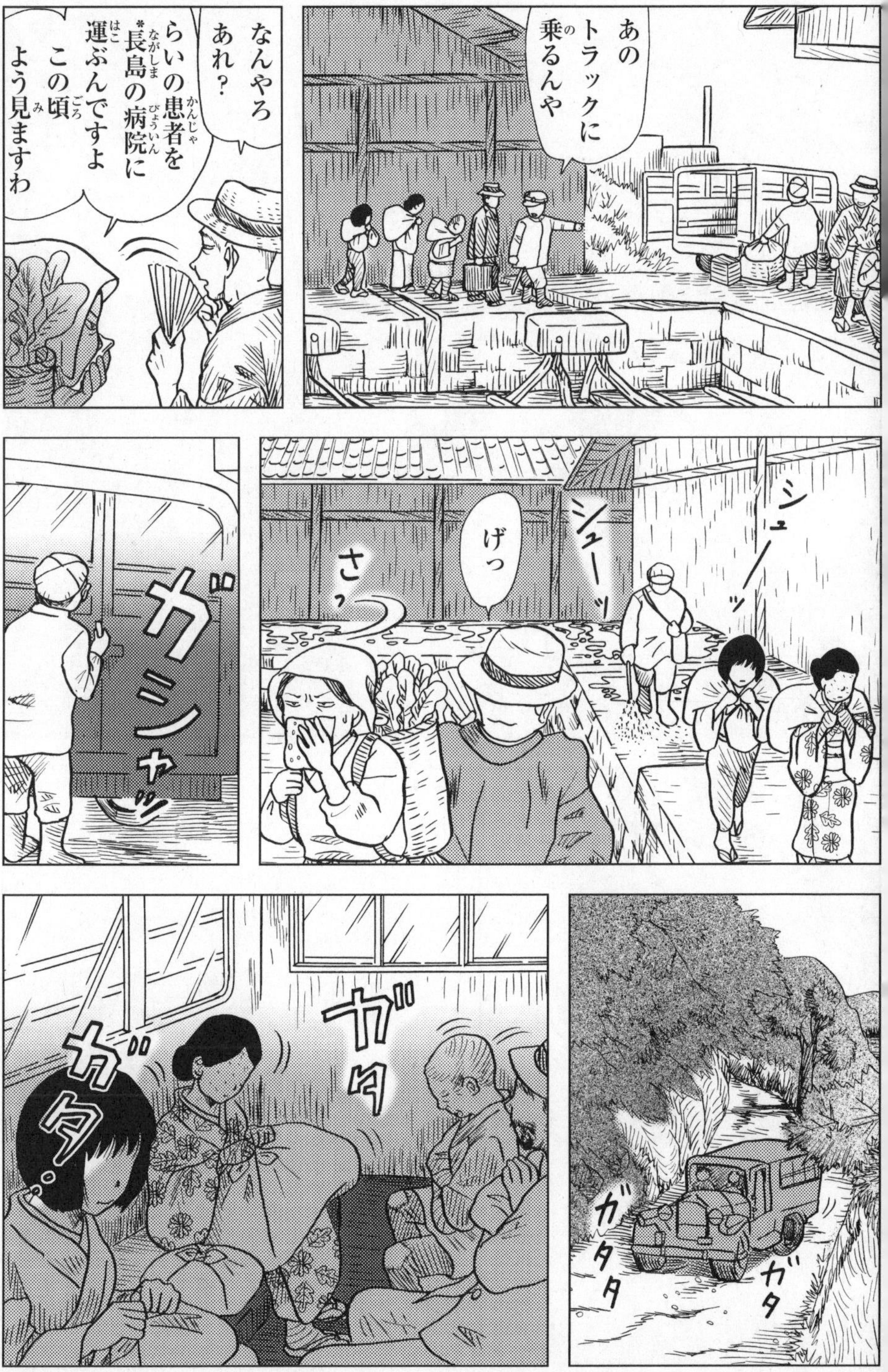

あのトラックに乗《の》るんや
なんやろあれ？
らいの患者《かんじゃ》を＊長島《ながしま》の病院《びょういん》に運《はこ》ぶんですよ
この頃《ごろ》よう見《み》ますわ
シューッ
シューーッ
げっ
さっ
ガシャッ
ガタ
ガタタ
ガタ
ガタ…

＊長島《ながしま》の病院《びょういん》＝123・124ページ参照《さんしょう》。

ガチャッ
降《お》りなさい
塩屋《しおや》から光明園《こうみょうえん》まで船《ふね》で行《い》く
みゃう
みゃう
ザザッ
ここからは潮《しお》の流《なが》れが早《はや》い
妙《みょう》な考《かんが》えを起《お》こすなよ
……え？

ぼーっと
しとらんと
さっさと
積《つ》みこんで
船頭《せんどう》が
偉《えら》そうに
ちょっと
あんた
手伝《てつど》うて
あ…ハイ
ポンポン
ポンポン
ポンポン
ポンポン
ピシャッ
ポンポン

ポン
ポン
ポン
ガターン
ここが病院《びょういん》?
この人達《ひとたち》が私《わたし》の右手《みぎて》を治《なお》してくれるの?

大丈夫《だいじょうぶ》や
心配《しんぱい》せんでええで

入《はい》る部屋《へや》が
決《き》まるまで
この*収容所《しゅうようじょ》に
おってな
男《おとこ》の人《ひと》は
そっちの十畳《じゅうじょう》
女《おんな》の人《ひと》は
こっちの六畳《ろくじょう》
なんかあれば
わしか
この大石君《おおいしくん》に
真《ま》ん中《なか》の
付添人室《つきそいにんしつ》に
おるさかい
ほな 受《う》け付《つ》けの
済《す》んだ人《ひと》から奥《おく》で
風呂《ふろ》に入《はい》って
上《あ》がったら
この白衣《はくい》を
着《き》て……
よいしょっと
ちょっと
なにすんのん
新《あたら》しく来《き》た
患者《かんじゃ》さんの
持《も》ち物《もの》は すべて一度《いちど》
預《あず》かる決《き》まり
ですから
大事《だいじ》な品《しな》
やさかい 気《き》ぃつけて
扱《あつか》うてな！

*収容所《しゅうようじょ》で寮《りょう》のふりわけを待《ま》つ間《あいだ》に、検査《けんさ》や所持品《しょじひん》の消毒《しょうどく》などが行《おこな》われた。

＊収容所前《しゅうようじょまえ》の湾《わん》は子供患者《こどもかんじゃ》の海水浴《かいすいよく》にも使《つか》われていた。

はあ…
ブカブカや
えらい所《ところ》に来《き》てもうた
ほんまに
ここにおれば
この右《みぎ》手《て》が
治《なお》るんやろか
あれ
脱《ぬ》いだ服《ふく》が
あれへん
さわ
ざわ
なんやろ
一人《ひとり》はまだ
子供《こども》やん
いやっ
二人《ふたり》とも
大人《おとな》やし
働《はたら》けるで

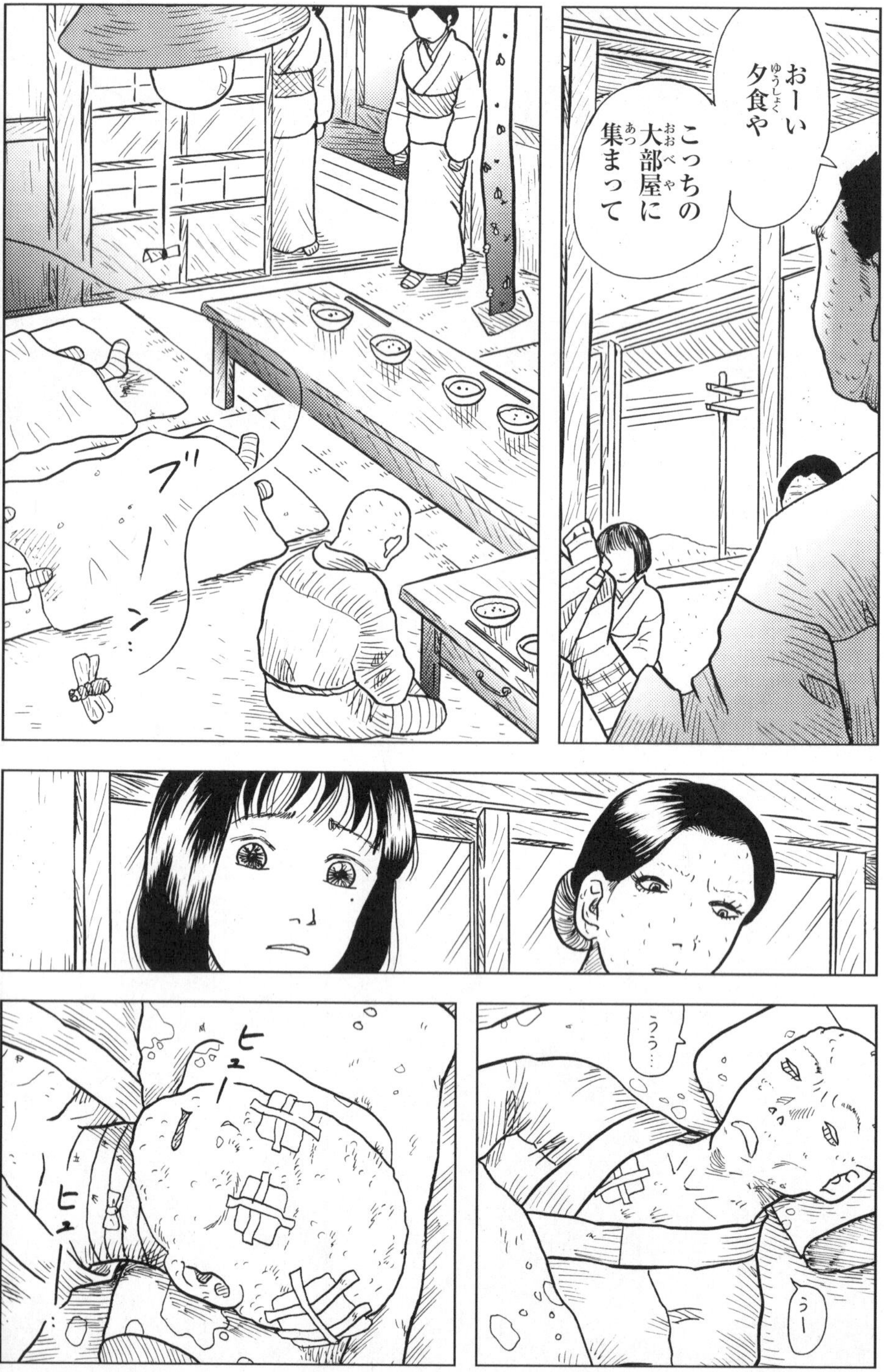

おーい
夕食《ゆうしょく》や
こっちの
大部屋《おおべや》に
集《あつ》まって
ブーン…
うう…
うー
ヒュー
ヒュー…

麦飯《むぎめし》に
みそ汁《しる》か
しけとんな
岡山《おかやま》で大工《だいく》を
しとった頃《ころ》は
三人前《さんにんまえ》食《く》うたもんよ
仕事《しごと》だって
三人前《さんにんまえ》こなしてた
けどこんな病気《びょうき》に
なってなぁ
食《く》わんのか
あんたたち
のどを
通《とお》らんか？
病気《びょうき》を隠《かく》さずに
いられるなんて
天国《てんごく》やんか
カッ
カッ
もっと早《はよ》うに
来《く》ればよかった
わはは

あの おっさん ――
何《なん》や 大石君《おおいしくん》
……いや 別《べっ》に
わははは…
自分《じぶん》の年《とし》は 忘《わす》れても 来《き》た日《ひ》のお菜《さい》は 忘《わす》れへんってな
ははっ 療養所《りょうようじょ》の 七不思議《ななふしぎ》や
ずず…

食《く》わな体《からだ》がもてへんで病気《びょうき》を治《なお》しに来《き》たんやろ
ザザ…
むぎねえ
麦姉《むぎねえ》!!

美容師《びようし》になっても実《みのる》ちゃんの頭《あたま》は特別《とくべつ》に半額《はんがく》で刈《か》ったげるな
ええー麦姉《むぎねえ》身内《みうち》から金《かね》とる気《き》？
手《て》は美容師《びようし》の命《いのち》よ
あの人《ひと》たちなんであんな体《からだ》になったんだろう
私《わたし》もあんな風《ふう》になるんやろか

私《わたし》がそんな病気《びょうき》になるなんて
今《いま》まで医者《いしゃ》にかかったこともないのに
でももし
もしも
治《なお》らなかったら
もう美容師《びようし》になれない
家《いえ》にも帰《かえ》れない

キィィ…
キィィ…
ザブッ
ん？
うっ
うわぁーっ
パッパ
ラッパ
パッパパー
パッパパー
……？

ざわ ざわ ざわ
誰《だれ》かっ医者《いしゃ》呼《よ》んでこい!
あの…
ああ起《お》きたん
今度《こんど》は身投《みな》げか
昨日《きのう》収容《しゅうよう》されたばかりやで
大工《だいく》の人《ひと》!?
朝食《ちょうしょく》ができたから席《せき》についてにぎり飯《めし》とたくあんやで

大石君《おおいしくん》
あの患者《かんじゃ》は君《きみ》んとこの――
知《し》ってた……？
来《き》た時《とき》から妙《みょう》にはしゃいどって怪《あや》しいとは思《おも》ったんですが
知《し》っててとめなかったのか
なんのための付添人《つきそいにん》だ！
療養所《りょうようじょ》に来《き》たら一度《いちど》は自殺《じさつ》を考《かんが》える
死《し》ぬしかないやつだっている
まっ先生《せんせい》にはわからんだろうけど

なんだと……
患者《かんじゃ》にとって
療養所《りょうようじょ》は
医者《いしゃ》が思《おも》うような
楽園《らくえん》じゃないって
ことです

まあまぁ三井《みつい》先生《せんせい》
いくら付添人《つきそいにん》でも患者全員《かんじゃぜんいん》を寝《ね》ないで見張《みは》っているわけにもいきませんし……
ザザ
ザザ…
死《し》ぬほど辛《つら》い病気《びょうき》なんやろか
……私《わたし》も
ギシ
ギシ

昨日《きのう》からなにも食《く》うてへんのやろ
ぎゅるるる…
病気《びょうき》に負《ま》けたくなかったら
食《く》え
ザザ…

……っ
ここの物《もの》を食《た》べてしまったら
元《もと》の世界《せかい》には戻《もど》れない気《き》がしました

長島《ながしま》と光明園周辺《こうみょうえんしゅうへん》

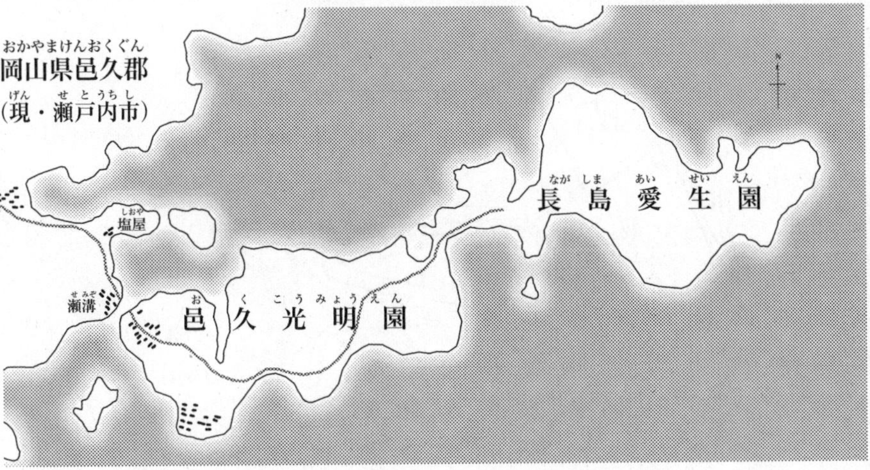

1938（昭和《しょうわ》13）年《ねん》、邑久光明園《おくこうみょうえん》が開園《かいえん》し、委託《いたく》された療養所《りょうようじょ》から帰《かえ》ってくる入所者《にゅうしょしゃ》たち

国立療養所邑久光明園入所者自治会編《こくりつりょうようじょおくこうみょうえんにゅうしょしゃじちかいへん》『隔離《かくり》から解放《かいほう》へ　邑久光明園入所者百年《おくこうみょうえんにゅうしょしゃひゃくねん》の歩《あゆ》み　邑久光明園創立百周年記念誌《おくこうみょうえんそうりつひゃくしゅうねんきねんし》』山陽新聞社《さんようしんぶんしゃ》、2009年《ねん》（125ページの写真《しゃしん》とも）

邑《お》久《く》光《こう》明《みょう》園《えん》

開園《かいえん》当時《とうじ》の邑久《おく》光明園《こうみょうえん》全景《ぜんけい》

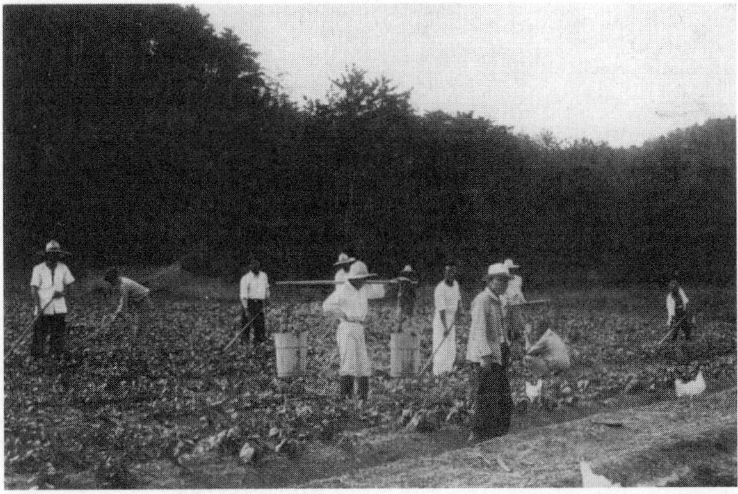

入所者《にゅうしょしゃ》たちによる農園《のうえん》作業《さぎょう》の様子《ようす》

外島《そとじま》保養院《ほよういん》・邑久《おく》光明園《こうみょうえん》　入所者数一覧《にゅうしょしゃすういちらん》

年度	年間入所者数	年間死亡者数	年間退所者数	年度末現在入所者数		
				男性	女性	計
1909（明治42）年	301	28	19	208	46	254
1910（明治43）年	114	48	24	243	53	296
1911（明治44）年	79	38	23	250	64	314
1912（明治45・大正元）年	85	55	40	240	64	304
1913（大正2）年	101	44	49	248	64	312
1914（大正3）年	128	65	68	241	66	307
1915（大正4）年	164	68	49	280	74	354
1916（大正5）年	191	62	94	296	93	389
1917（大正6）年	117	32	70	314	90	404
1918（大正7）年	128	79	81	280	92	372
1919（大正8）年	126	52	71	277	98	375
1920（大正9）年	152	28	140	265	94	359
1921（大正10）年	188	40	153	253	101	354
1922（大正11）年	203	30	158	267	102	369
1923（大正12）年	207	35	175	260	106	366
1924（大正13）年	181	38	124	288	97	385
1925（大正14）年	158	33	104	302	104	406
1926（大正15・昭和元）年 ～ 1930（昭和5）年	662	188	341			
1931（昭和6）年	69	33				575
1932（昭和7）年	77	30	25	449	148	597
1933（昭和8）年	90	33	52	454	148	602
1934（昭和9）年	64	195	63	329	79	408
1935（昭和10）年		15	23	296	74	370
1936（昭和11）年		14	9	275	72	347
1937（昭和12）年	10	20	15	252	70	322
1938（昭和13）年	221	25	51	362	105	467
1939（昭和14）年	296	55	73	485	150	635
1940（昭和15）年	365	68	104	629	199	828
1941（昭和16）年	395	56	131	779	257	1,036
1942（昭和17）年	251	72	76	853	286	1,139
1943（昭和18）年	126	69	25	882	289	1,171
1944（昭和19）年	114	125	26	845	289	1,134
1945（昭和20）年	46	213	96	626	245	871
1950（昭和25）年	104	25	12	566	292	858
1960（昭和35）年	27	14	23	628	332	960
1970（昭和45）年	12	16	15	511	297	808
1980（昭和55）年	5	23	4	406	247	653
1990（平成2）年	4	20	4	298	202	500
2000（平成12）年	4	12	4	191	142	333
2005（平成17）年	1	15	1	126	118	244

国立療養所《こくりつりょうようじょ》邑久光明園入所者自治会編《おくこうみょうえんにゅうしょしゃじちかいへん》『隔離《かくり》から解放《かいほう》へ　邑久光明園入所者百年《おくこうみょうえんにゅうしょしゃひゃくねん》の歩《あゆ》み　邑久光明園《おくこうみょうえん》創立百周年記念誌《そうりつひゃくしゅうねんきねんし》』山陽新聞社《さんようしんぶんしゃ》、2009年《ねん》より作成《さくせい》

第《だい》5話《わ》　無菌地帯《むきんちたい》

*療養所内《りょうようじょない》でのみ通用《つうよう》するお金《かね》のこと。逃走防止《とうそうぼうし》の意味《いみ》もあった。

これじゃ船《ふね》も汽車《きしゃ》も乗《の》れへんなぁ
まとまった現金《げんきん》を貸《か》す商人《しょうにん》みたいなのもおるけど
利子《りし》高《たか》いで
大石君《おおいしくん》余計《よけい》な助言《じょげん》をしないでくれんか
次《つぎ》は診察《しんさつ》だっけ
私《わたし》も荷物《にもつ》まとめな
ヒク
消毒《しょうどく》……
なんで？
向《む》こうは職員用《しょくいんよう》の無菌地帯《むきんちたい》
こっちは患者地帯《かんじゃちたい》

なんてことしてくれたん
留袖《とめそで》が真《ま》っ白《しろ》やん
お父《とう》ちゃんがあつらえてくれはった晴《は》れ着《ぎ》やで
わあ あ…
どうしたね池田恵子《いけだけいこ》さん
わたしは伊勢田桂子《いせだけいこ》
入園《にゅうえん》も偽名《ぎめい》も取《と》り消《け》します
もったいないですなぁ
せっかく入園《にゅうえん》できたのに
家《いえ》を守《まも》るため偽名《ぎめい》で入園《にゅうえん》
立派《りっぱ》な親孝行《おやこうこう》じゃありませんか

麦《むぎ》って名前《なまえ》はな
元気《げんき》でまっすぐ育《そだ》つようにつけたんよ
私《わたし》は名前《なまえ》は変《か》えません
ん？
私《わたし》の名前《なまえ》は上原麦《うえはらむぎ》です
絶対《ぜったい》変《か》えません

命《いのち》と名前《なまえ》は親《おや》からもらったものですから！
べ 別《べつ》に私《わたし》が強制《きょうせい》しているわけじゃない
どうぞご自由《じゆう》に
名前《なまえ》を変《か》えるんがそないええことなら
スダレハゲって呼《よ》んだろか!?
スダ…
ぶふっ
なんやのあれ
めっちゃ業《ごう》わく……
くっ
くっ
くっ
大石《おおいし》さん笑《わら》いすぎですよ

べっちょない？
なにかひどいことされへんかった？
べっ……？
別《べつ》に……ただ家《いえ》から持《も》ってきた大事《だいじ》な着物《きもの》が……
カサッ
何《なに》これ？人形《にんぎょう》？
あ それ私《わたし》の
母《はは》の形見《かたみ》なんよ 私《わたし》が十歳《じゅっさい》の時《とき》にいなくなったの
不思議《ふしぎ》やなぁ
甘《あま》えたい盛《さか》りに捨《す》てられて恨《うら》んどったのに

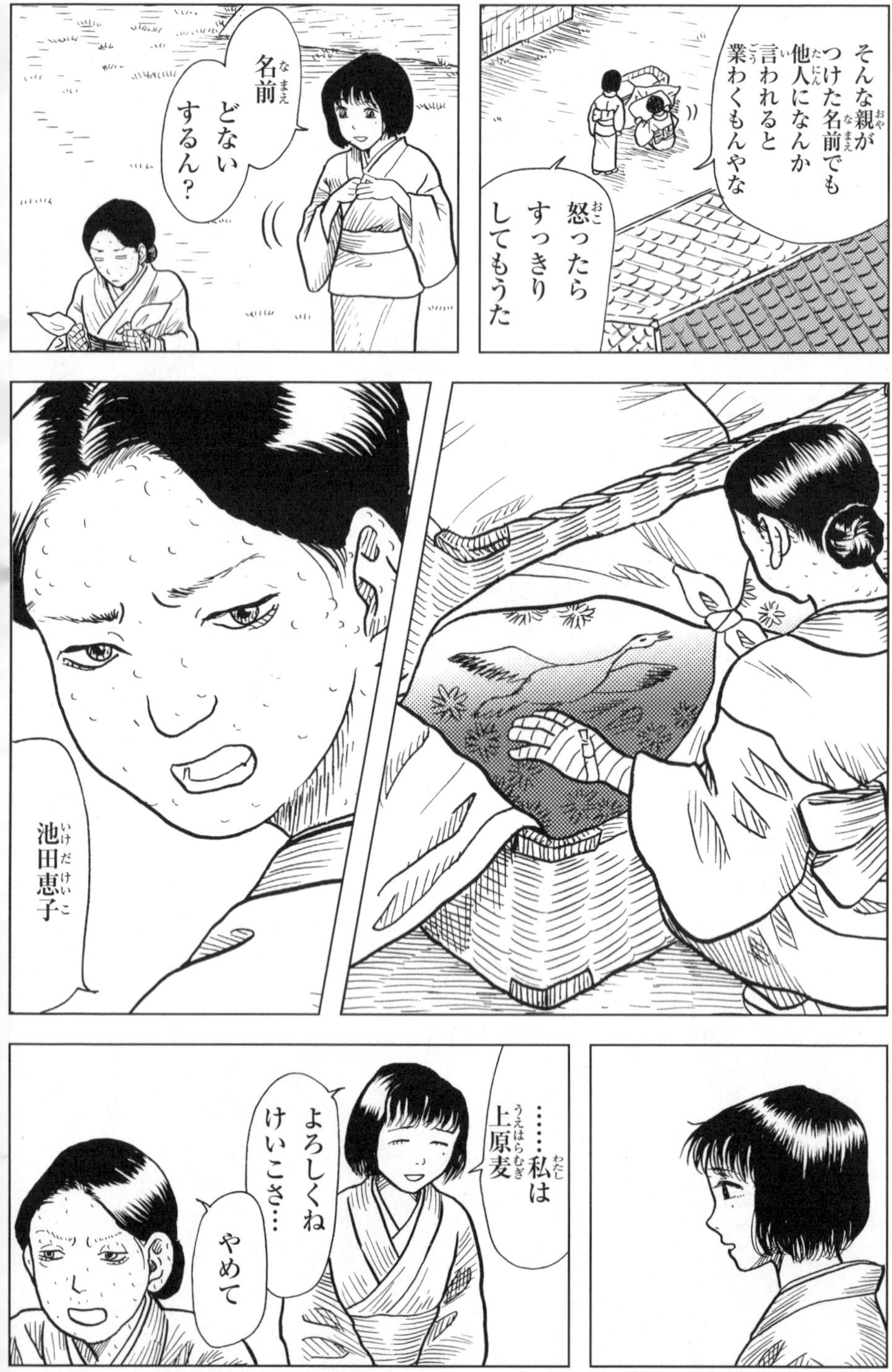
そんな親《おや》がつけた名前《なまえ》でも他人《たにん》になんか言《い》われると業《ごう》わくもんやな
怒《おこ》ったらすっきりしてもうた
名前《なまえ》どないするん？
池《いけ》田《だ》恵子《けいこ》
……私《わたし》は上原《うえはら》麦《むぎ》
よろしくねけいこさ…
やめて

＊療養所《りょうようじょ》の中《なか》ではハンセン病《びょう》のことを本病《ほんびょう》と呼《よ》び、それ以外《いがい》の病気《びょうき》を余病《よびょう》と呼《よ》んだ。

一日《いちにち》も早《はや》く治《なお》して働《はたら》きたいんです
あせらないことです
いっしょにがんばりましょう
次《つぎ》は？
池田恵子《いけだけいこ》さんです
やあ君《きみ》か名前《なまえ》を変《か》えたんだね
どうこの病院《びょういん》は？
……三井先生《みついせんせい》

やっぱり帰《かえ》ります
帰《かえ》らせてください！
またあの薄暗《うすぐら》い物置《ものおき》で一人《ひとり》
人目《ひとめ》を避《さ》けて暮《く》らすの？
この療養所《りょうようじょ》で光《ひかり》を浴《あ》びて療友《りょうゆう》たちと暮《く》らす方《ほう》が幸《しあわ》せじゃないか
少《すく》なくとも私《わたし》はそう信《しん》じて
そのために働《はたら》いているよ

＊子供《こども》の患者《かんじゃ》は療養所《りょうようじょ》の外《そと》の学校《がっこう》に通《かよ》えないので、大人《おとな》の患者《かんじゃ》が教師役《きょうしやく》をして教《おし》えた。

同《おな》じ寮《りょう》の千代《ちよ》っち言《い》うんやけど
なるたけ急《いそ》いでくれん？
私《わたし》忙《いそが》しいんやけ
案内《あんない》するけすぐ支度《したく》して
返事《へんじ》は？
あっ はい！
本当《ほんとう》はなっちゃんが来《く》るんやったんやけどなっちゃんは具合《ぐあい》が悪《わる》いから
やけど病室《びょうしつ》に入《はい》るほどやないけ

寮《りょう》と病室《びょうしつ》って違《ちが》うの？
病室《びょうしつ》は病人《びょうにん》が入《はい》るところなんよ
それも死《し》にかけの病人《びょうにん》が入るとこ
急《いそ》いでくれんと今日《きょう》は大風子油《たいふうしゆ》の注射《ちゅうしゃ》があるんやけ 私《わたし》は早《はや》く並《なら》んで二回《にかい》打《う》つつもりやけ
ハイ
そっちの都合《つごう》でそうせかさんといて
あわてる乞食《こじき》はもらいが少《すく》ないと言《い》うやんか
…恵子《けいこ》さんとやら
こっからもここで暮《く》らすつもりやったら口《くち》のきき方《かた》を気《き》をつけりっちゃ
いややわぁ三井《みつい》先生《せんせい》に言《い》われて嫌々《いやいや》来《き》たけどなじめそうにおまへんわ
こんなとこにもあんさんのなまりにも

…高慢《こうまん》ちきで意地悪《いじわる》
あんた友《とも》だちおらんやろ
愛嬌《あいきょう》は売《う》りもんやただではやれへんな
まっ
まぁまぁ二人《ふたり》とも
はーっ
はーっ
はーっ
ちょいとおチビさん
千代《ちよ》

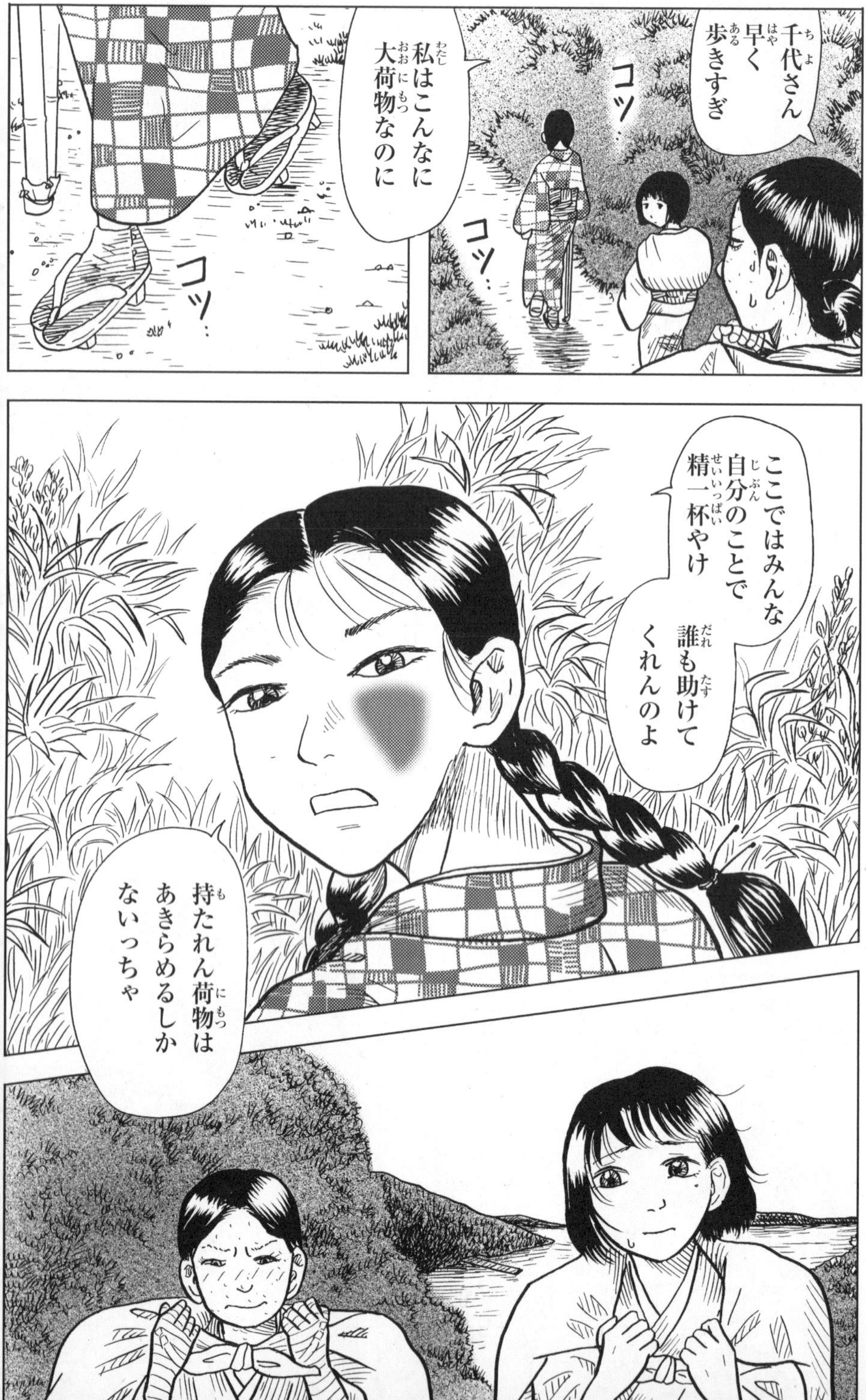
千代《ちよ》さん早《はや》く歩《ある》きすぎ
コッ
コッ
私《わたし》はこんなに大荷物《おおにもつ》なのに
コッ
ここではみんな自分《じぶん》のことで精一杯《せいいっぱい》やけ
誰《だれ》も助《たす》けてくれんのよ
持《も》たれん荷物《にもつ》はあきらめるしかないっちゃ

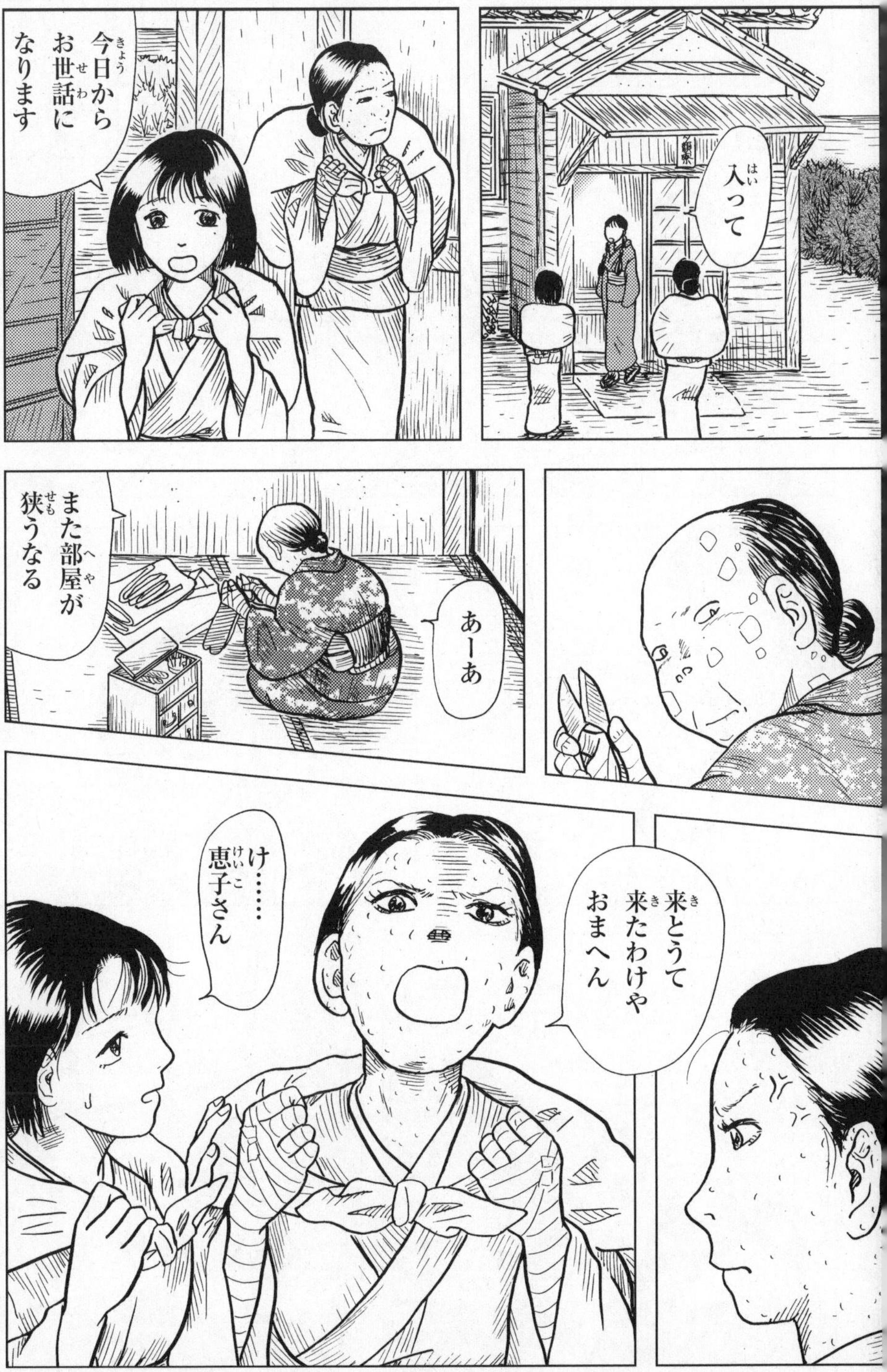

＊昭和《しょうわ》十五年《じゅうごねん》当時《とうじ》、収容《しゅうよう》する患者《かんじゃ》が増《ふ》え、寮《りょう》は定員《ていいん》オーバーになっていた。

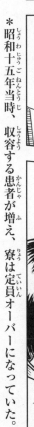

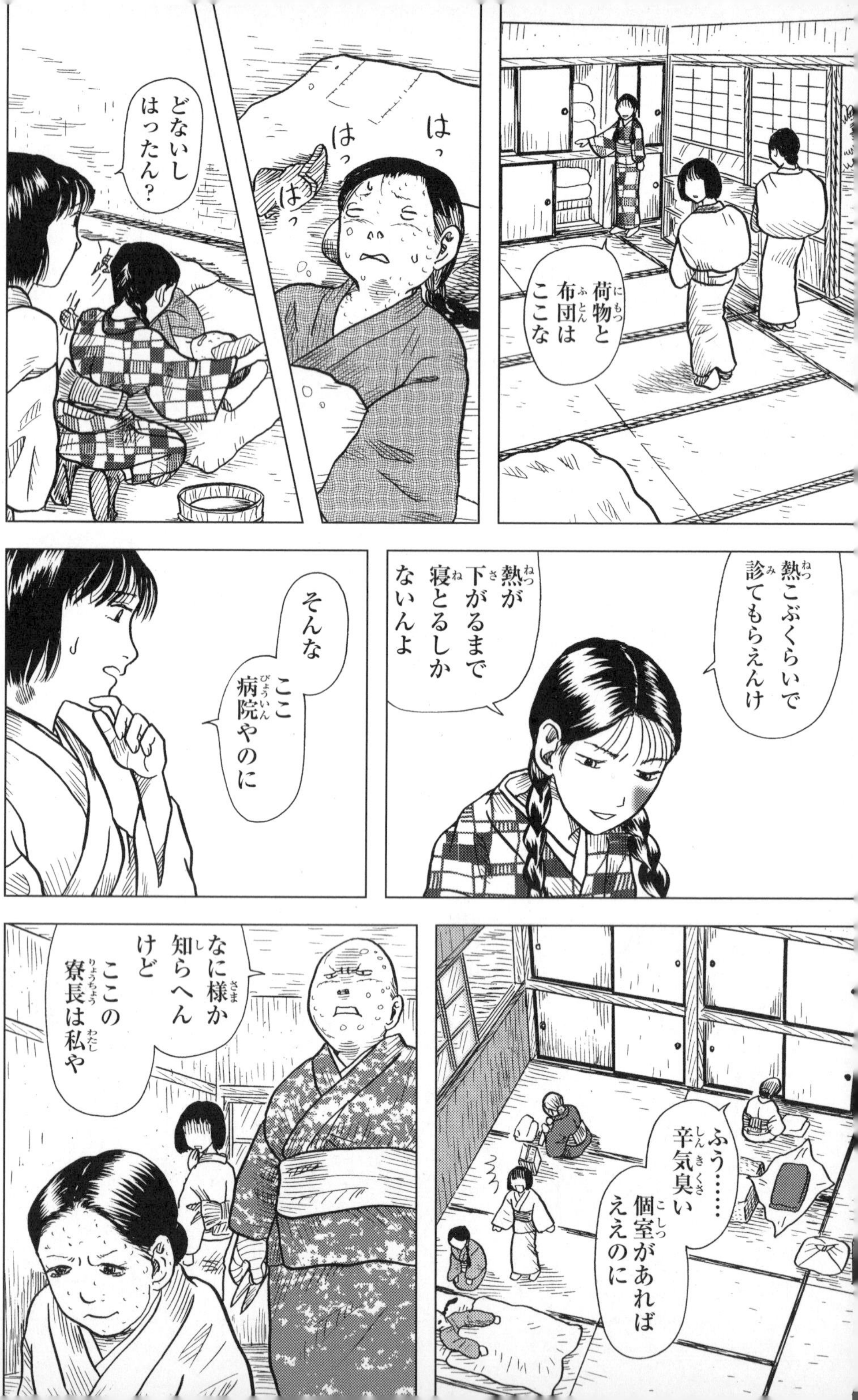

荷物《にもつ》と布団《ふとん》はここな
はっ はっ はっ
どないしはったん？
熱《ねつ》こぶくらいで診《み》てもらえんけ
熱《ねつ》が下《さ》がるまで寝《ね》とるしかないんよ
そんな ここ病院《びょういん》やのに
ふう……辛気臭《しんきくさ》い
個室《こしつ》があればええのに
なに様《さま》か知《し》らへんけど
ここの寮長《りょうちょう》は私《わたし》や

＊トヨさんの髪《かみ》や眉《まゆ》が薄《うす》いのは、病気《びょうき》の症状《しょうじょう》のひとつで、毛《け》が抜《ぬ》けたため。のちに植毛《しょくもう》する人《ひと》も多《おお》かった。

＊馬革《うまがわ》に研磨剤《けんまざい》を塗《ぬ》りこんだもの。理容師《りようし》が使《つか》う。

コツ…
コツ…
なんで恵子《けいこ》さん注射《ちゅうしゃ》せえへんのやろ
あの人《ひと》は京都《きょうと》で通院《つういん》治療《ちりょう》しとったらしいけ
注射《ちゅうしゃ》なんか効《き》かへんわ
じゃあなんで病院《びょういん》に？
やってみなわからへん
治療《ちりょう》はまだ始《はじ》まったばかりや

いったぁ～まだズキズキしよる
あんな注射《ちゅうしゃ》週三回《しゅうさんかい》も打《う》ちよんの？
大風子油はネバいし筋肉注射やけの
わたしは週六回《しゅうろっかい》っちゃ
はあ～～小《ちい》さいのに偉《えら》いなぁ
子供扱《こどもあつか》いせんで！
私《わたし》はもう十六《じゅうろく》なんやけ!!
一歳《ひとつ》しか違《ちが》わんのか
大人《おとな》びた子《こ》や思《おも》うとった
……のう
前《まえ》にどこかで会《あ》ったかね？
いや気《き》のせいか
私《わたし》は九《ここの》つの時《とき》から病院《びょういん》やけ
えっ？
そない長《なが》いことここにおるん!?
半年《はんとし》くらいで治《なお》るんやないの？

ザザ
い…いただきます
カチャ
カチャ
あんた
また
こぼして！
いつも言《い》うとるやろが
ズズー…
あの…ここ女子寮《じょしりょう》やね
結婚《けっこん》しとる人《ひと》は夕方《ゆうがた》になったら
旦那《だんな》さんが晩《ばん》ごはん持《も》って食《た》べに来《く》るんよ
カァ
カァ
ザー…

麻痺《まひ》が進《すす》んどったら一番風呂《いちばんぶろ》入《はい》ったらいけんよ
熱《あつ》さがわからんで火傷《やけど》するで
絆創膏《ばんそうこう》の浮《う》いとう湯《ゆ》に入《はい》るなんてまっぴらや
入《はい》らんの？
千代《ちよ》ちゃん足《あし》……

珍《めずら》しいん？指《ゆび》とか手足《てあし》が足《た》りん人《ひと》とかここにはいっぱいおる
病気《びょうき》でだめになったん？
違《ちが》う
麻痺《まひ》しとって怪我《けが》や火傷《やけど》の痛《いた》みに気《き》づかんで化膿《かのう》するやろ
満足《まんぞく》に薬《くすり》をもらえんけ
切《き》り落《お》とすしかなくなるっちゃ
麻痺《まひ》で気《き》づかずに——
恵子《けいこ》さん
意地《いじ》を張《は》らんどき
こんな風呂《ふろ》鴨川《かもがわ》で泳《およ》ぐほうがマシや

＊呼吸《こきゅう》を助《たす》けるために入《い》れた管《くだ》のこと。

あの…
それどういうことですか？
誰《だれ》？
千代《ちよ》ちゃんとこの新患《しんかん》や
ふー…
のどがはれて息《いき》ができんようになるやろ？
ほっとくと死《し》んでまうさかい
手術《しゅじゅつ》でのどを切《き》り開《ひら》いて金属《きんぞく》の管《くだ》を入《い》れるの

＊カニューレを入《い》れたあと数年《すうねん》で亡《な》くなる人《ひと》が多《おお》かったため、こう言《い》われた。

＊療養所《りょうようじょ》の外《そと》を「社会《しゃかい》」、ハンセン病《びょう》ではない人《ひと》を「壮健《そうけん》」と呼《よ》ぶなど、療養所独自《りょうようじょどくじ》の言《い》い方《かた》があった。

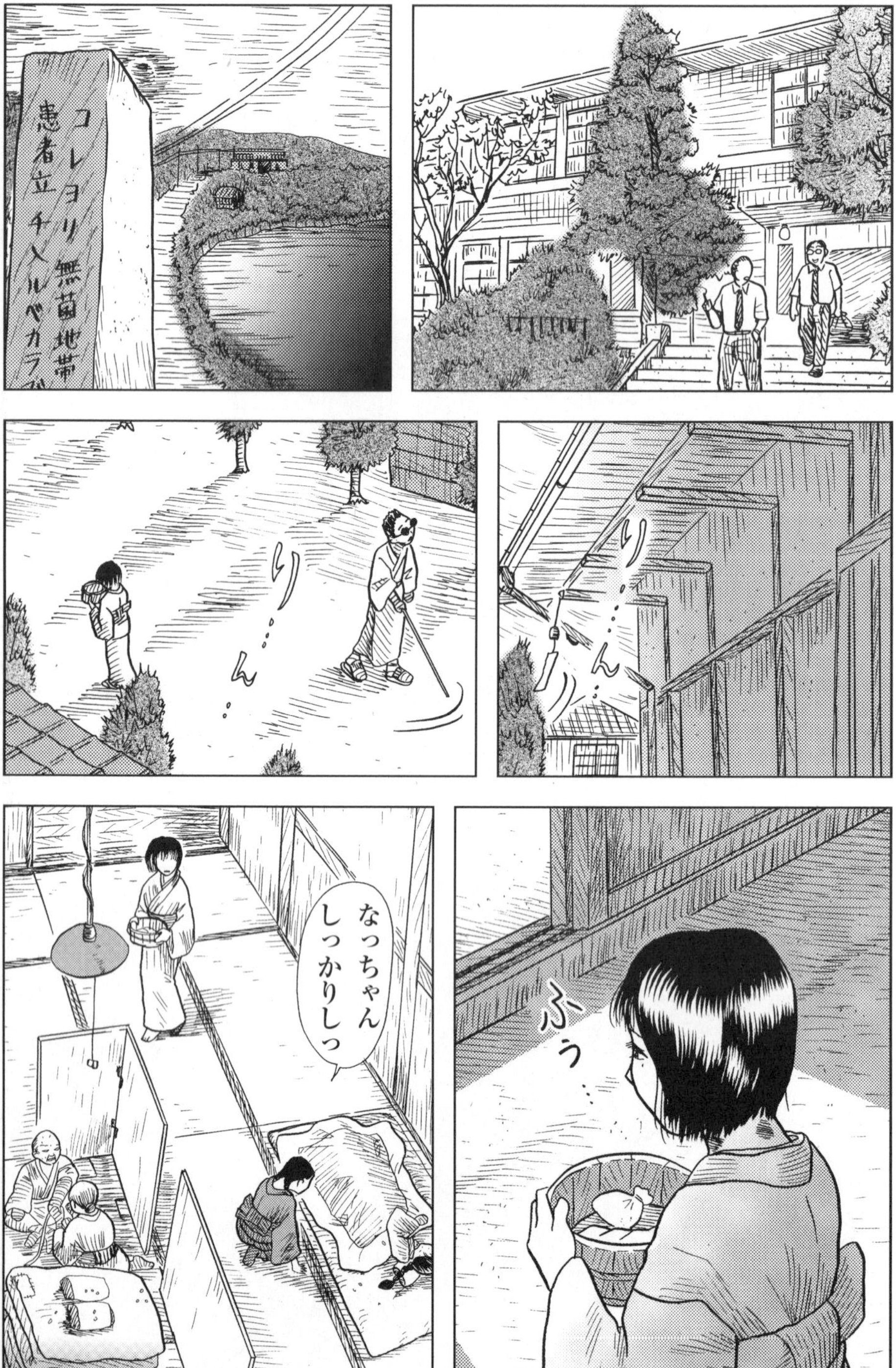
コレヨリ無菌地帯
患者立チ入ルベカラ
り……ん……
り……ん……
ふう……
なっちゃん
しっかりしっ

＊ハンセン病《びょう》の症状《しょうじょう》のひとつ。

カタカタタ
職員地帯《しょくいんちたい》に……？
フン
来《く》るわけない
医者《いしゃ》とか
来《く》るわけないっちゃ

医者《いしゃ》など来《く》るわけがない
療友《りょうゆう》の言葉《ことば》に嘘《うそ》はなかった
第《だい》6話《わ》
医者《いしゃ》のいない病院《びょういん》

はっ
はっ
はっ
コレヨリ無菌
患者立チ入ルベ
カタ
カタタタ
ガサ
ガサ
……おいおい
ひゃっ
ちょい待《ま》て
何《なん》や
あんたか
職員地帯《しょくいんちたい》には
行《い》ったらあかん
言《い》うたやろ
通《とお》して
下《くだ》さい
寮《りょう》の子《こ》が
死《し》にそう
なんです

医者《いしゃ》を？
夜《よる》は診《み》てもらわれへんで
ここは病院《びょういん》でしょう
病院《びょういん》につれてきといて
治療《ちりょう》せんなんてサギやわ
無菌地帯《むきんちたい》に入《はい》るわ事務《じむ》にケンカ売《う》るわ
意外《いがい》とおてんばやな
職員《しょくいん》ににらまれるといろいろと面倒《めんどう》なんや
俺《おれ》が釣《つ》りしてたんも内緒《ないしょ》な
これやるさかい

ひっ
ピュ〜
ナマコは栄養《えいよう》あるんやで――
……ごめんな お医者《いしゃ》呼《よ》べんかってん
何《なん》とか持《も》ち直《なお》したけん あまり無理《むり》せんようにのっ
放《ほ》っとかれんかったさかい 困《こま》った時《とき》はお互《たが》い様《さま》――
ええ加減《かげん》にして
あんさんのせいで私《わたし》まで職員《しょくいん》ににらまれるわ

す
すみません
ザザ…
りりん…
恵子《けいこ》さん
麦《むぎ》さん
ちょっと
ええか？
念《ねん》のため
言《い》うとくけ
何《なん》やの
夜《よる》 便所《べんじょ》に
起《お》きる時《とき》は
起《お》きる前《まえ》に
必《かなら》ず咳《せき》ばらい
せなよ
はあ？

*麦達《むぎたち》の軽症女子寮《けいしょうじょしりょう》は独身《どくしん》と夫婦《ふうふ》の雑居《ざっきょ》。夫《おっと》は夜《よる》だけ通《かよ》う通《かよ》い婚《こん》で、昭和《しょうわ》23年《ねん》に軽症夫婦寮《けいしょうふうふりょう》ができるまでつづいた。

何《なに》見《み》とんねん
見《み》せ物《もの》やないで!
バサッ
フン
えらいとこに
来《き》てしもうた
チュン…
チ…
ぜんぜん眠《ねむ》られへんかった
バシャ
バシャ

*病棟《びょうとう》には付添人当直室《つきそいにんとうちょくしつ》があった。患者《かんじゃ》が病人《びょうにん》の食事《しょくじ》、介護《かいご》、買《か》い物《もの》その他《ほか》ほとんどの看護《かんご》を24時間《じかん》しつづけた。

あほな
なんで患者《かんじゃ》が
働《はたら》かなあかん
のですか
子供《こども》でも
包帯巻《ほうたいま》き
しゆうが
働《はたら》かざる者《もの》
食《く》うべからず
包帯《ほうたい》ならその
へらず口《ぐち》に
巻《ま》いてやり
たいわ
フン
…何で
こないに
仲悪いん
やろか
さよかー
美容師《びようし》して
はったん
見習《みなら》い
ですけど
理容部《りようぶ》で
働《はたら》けんか
きいてみよか？
技能《ぎのう》のある人《ひと》は
優先《ゆうせん》されるで
髪《かみ》の仕事《しごと》ができ
るんですか⁉

あんたは？
実家《じっか》の仕送《しおく》りで十分《じゅうぶん》やっていけます
ふー…
病人《びょうにん》や不自由者《ふじゆうしゃ》の付《つ》き添《そ》いは断《ことわ》れへんで
私《わたし》は出稼《でかせ》ぎやなくて治療《ちりょう》しに来《き》たんです
見《み》てみいな
あの人《ひと》もあの人《ひと》もここに来《き》た時《とき》は壮健《そうけん》やった
あんたもいつ盲人《もうじん》や寝《ね》たきりになるかも知《し》れんのやで
理容部

シャキ
シャキ
シャキ
美容院《びよういん》とは
違《ちが》うけど
修行《しゅぎょう》になるわ
うーん……
利《き》き手《て》にマヒが
きとんか
美容師《びようし》と違《ちご》うて
理容師《りようし》はカミソリ
扱《あつか》うさかいなあ……
できることは
何《なん》でもさせて
下《くだ》さい
退院《たいいん》したら
すぐ美容院《びよういん》に
戻《もど》りたいんです
容部
お願《ねが》い
します
ここで
働《はたら》かせて
下《くだ》さい
気《き》の毒《どく》
やけど
他《ほか》をあたる
方《ほう》がええわ

とりあえずたくあん係《がかり》でええな？
ちょっと待《ま》って下《くだ》さい
私《わたし》――
この病気《びょうき》で曲《ま》がった手足《てあし》は
二度《にど》と治《なお》らんで
い…医者《いしゃ》でもないのに
何《なん》でそんなことがわかるんですか
医者《いしゃ》は都合《つごう》悪《わる》いことは言《い》わへん
ここの者《もの》なら皆《みな》知《し》っとうこっちゃ

おはよう ございます
おお たくあん 来《き》たな
茶《ちゃ》あいれて 一服《いっぷく》すっか
あっ
ガッ
あーあ えらいこっちゃ
んも―― 気《き》ぃつけてや 姉《ねえ》ちゃん

……あんた
手《て》え大丈夫《だいじょうぶ》か？
だ　大丈夫《だいじょうぶ》です
すみません
すべった
だけです
カリ
カリ
ボリ
ボリ
ボリ

カシャーン
すみません
マキ先生《せんせい》
大事《だいじ》な
はさみを
シザーは
ともかく
麦《むぎ》さん　よく
物《もの》を落《お》とす
でしょ
一度《いちど》　医者《いしゃ》に
見《み》せた方《ほう》が
いいわ
いえ
そんな
私《わたし》　ほんまに
そそっかしゅうて――
麦《むぎ》さん
手《て》は
美容師《びようし》の
命《いのち》よ
理容部
この病気《びょうき》で
曲《ま》がった手足《てあし》は
二度《にど》と
治《なお》らんで

十三日《じゅうさんにち》は婦人会《ふじんかい》の盆踊《ぼんおど》りの準備《じゅんび》
今日《きょう》は昼《ひる》から奉仕作業《ほうしさぎょう》頼《たの》んまっせ
ちょっと上原《うえはら》さん
聞《き》いとんけ!?
は……
えっ？
昼《ひる》から地《じ》ならしよ
ボリ
ボリ
ザッ
ザクッ
ザッ
おい
あんた右手《みぎて》！

え？
血《ち》が——
どかっ
気《き》ぃつけなあかんやん
ここにはロクな薬《くすり》がないさかい
右手《みぎて》 怪我《けが》しとうで
麻痺《まひ》すっと気《き》づきにくくなるんや
いつの間《ま》に——
指《ゆび》とか手足《てあし》がたりん人《ひと》とかここにはいっぱいおるっちゃ
麻痺《まひ》しとって怪我《けが》や火傷《やけど》の痛《いた》みに気《き》づかんで化膿《かのう》するやろ

切《き》り落《お》とすしか
なくなるっちゃ
ぐいーっ
きゃ
わしの部屋《へや》に
ええ薬《くすり》が
あるさかい
つけちゃろう
さぁさぁ♪
えっ
あの……
キャッ
じいさん
えげつない
マネすんなや
なっ 何《なん》や
人聞《ひとぎ》きの悪《わる》い

＊男性患者《だんせいかんじゃ》の方《ほう》が多《おお》いため、結婚《けっこん》できない男性《だんせい》がたくさんいた。

包帯再生《ほうたいさいせい》も 外科助手《げかじょしゅ》も イヤ？
あとは畑《はたけ》か 肥《こえ》くみ位《くらい》 やで
ええとこのお嬢《じょう》 らしいやん
お茶《ちゃ》に お華《はな》しか できひんか
手習《てなら》いは一通《ひととお》り やりましたけど 家《いえ》の商《あきな》いも 手伝《てつど》うてましたえ
ほな 医局《いきょく》の 手伝《てつだ》いやな
ここんとこ急《きゅう》に 患者《かんじゃ》が増《ふ》えた さかいな
……で どっちに するん？
そら 病気《びょうき》の 軽《かる》い方《ほう》に 決《き》まっとう やろ
何《なに》やの？ 気《き》ぃ悪《わる》いわ

＊今《いま》の8,000円《えん》くらい。

恵子《けいこ》さん
どういうこと？
実家《じっか》の商《あきな》いを手伝《てつど》うとったさかいわかるわ
作業賃《さぎょうちん》は園《えん》の予算《よさん》を削《けず》ってひねり出《だ》しとう
働《はたら》けば働《はたら》くほど予算《よさん》が減《へ》って待遇《たいぐう》が悪《わる》うなるねん
ジーワジワジワジー…
ゴホッゴホッ
ゲホ
ゲホゲホッ
大丈夫《だいじょうぶ》か千代《ちよ》ちゃんあんたもうつってもうたか？

ドサッ
千代《ちよ》ちゃん
ピチョン…
ピシャ…
――っ
ごめん
びっくりさせてしもた？
熱《ねつ》が高《たか》いさかい
冷《ひ》やさんと

外島《そとじま》……いや
雨《あめ》かと思《おも》った
雨《あめ》 そない嫌《きら》いなん？
猫《ねこ》みたいやなぁ
あんたの手拭《てぬぐ》いのしぼり方《かた》は
なっとらんね
もう少《すこ》しできれいな花畑《はなばたけ》やったのに
ち
千代《ちょ》ちゃん!?
ゆっくり寝《ね》かせとって
ふう

気休《きやす》めでも
口《くち》に手拭《てぬぐ》い位《くらい》
巻《ま》いとき
うつったら
大変《たいへん》やで
年《とし》も近《ちか》いし
面倒見《めんどうみ》たって
最期《さいご》までな
ガシャッ
きゃ
あ
ご ごめん
すぐ片付《かたづ》け
あ痛《いた》っ
何や
うるさいなあ
は－
おちおち
寝《ね》とられん
手《て》
はい？

ほら できた
ほんと どっちが 病人《びょうにん》なん？
すみません……
千代《ちよ》ちゃんって お姉《ねえ》ちゃん みたいやなあ
なんち？
あんたの方《ほう》が ひとつ歳上《としうえ》 やん
私《わたし》の お姉《ねえ》ちゃんや
面倒見《めんどうみ》が良《よ》うて 気《き》が短《みじこ》うて 口《くち》が悪《わる》うて
あんたが 頼《たよ》りないけ 周《まわ》りがそう なるんよ

そういえばテツさんも……
え？
……いや
もう寝《ね》るけ仕事《しごと》してき
あ
おしっこは？
一人《ひとり》でできるっちゃ！
あの包帯《ほうたい》かえますね
ヒュー
ヒュー…

痛《いた》かったら
言《い》うて下《くだ》さいね
うぐっ
その人《ひと》は
しゃべれん
のどに
カニューレ
入《い》れとる
さかい
カニューレを
入《い》れたんやて
ほな もう長《なが》い
ことないな
ヒュー…
ヒュー…
はい でき
ましたよ
…あ
…り…とぉ
死《し》ぬもんか
この島《しま》で
死《し》んだり
するもんか

第《だい》7話《わ》
ピーちゃん

ザザ…

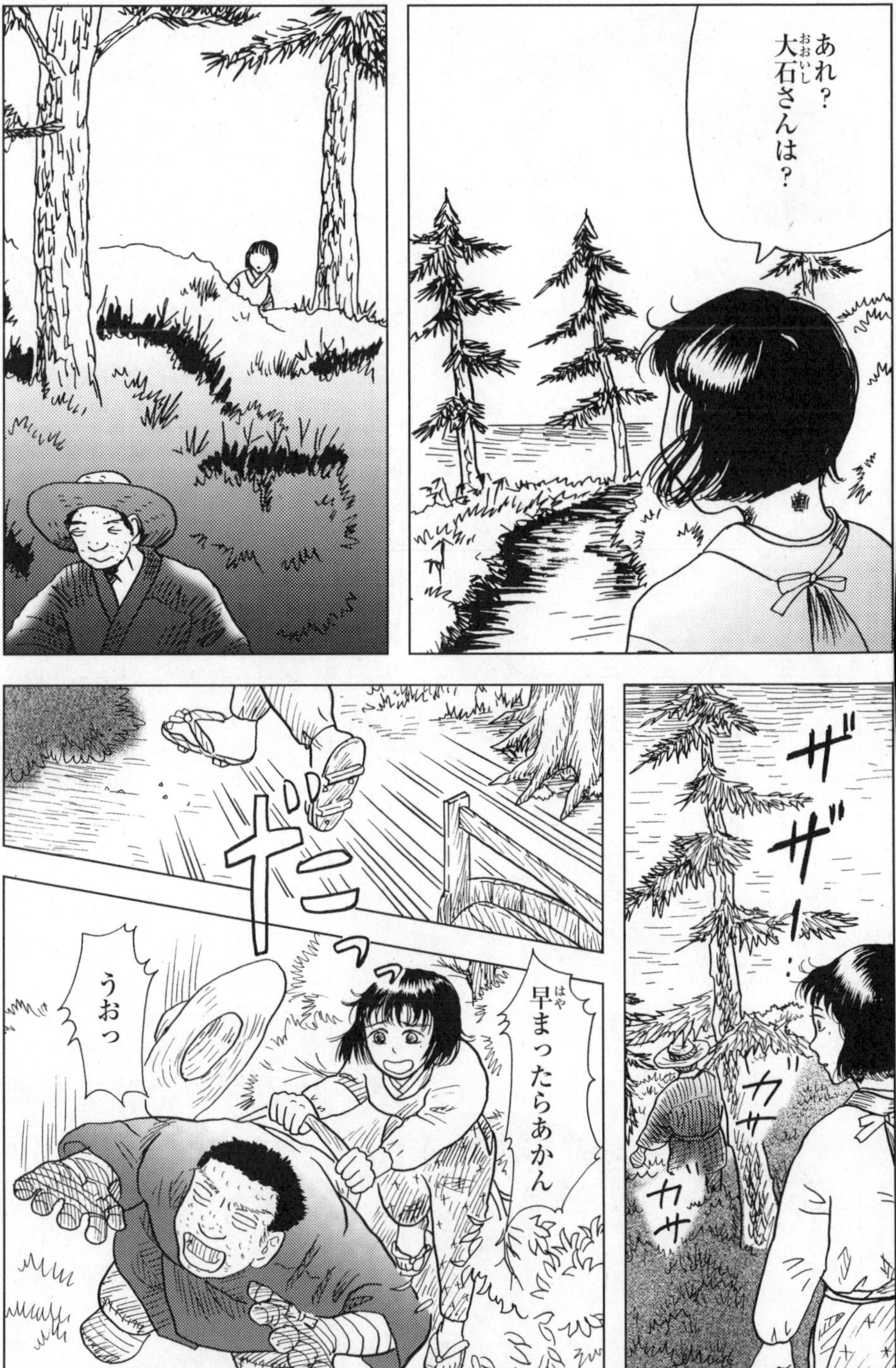
あれ？
大石《おおいし》さんは？
ザザー…
カサ
カサ
だっ
早《はや》まったらあかん
うおっ

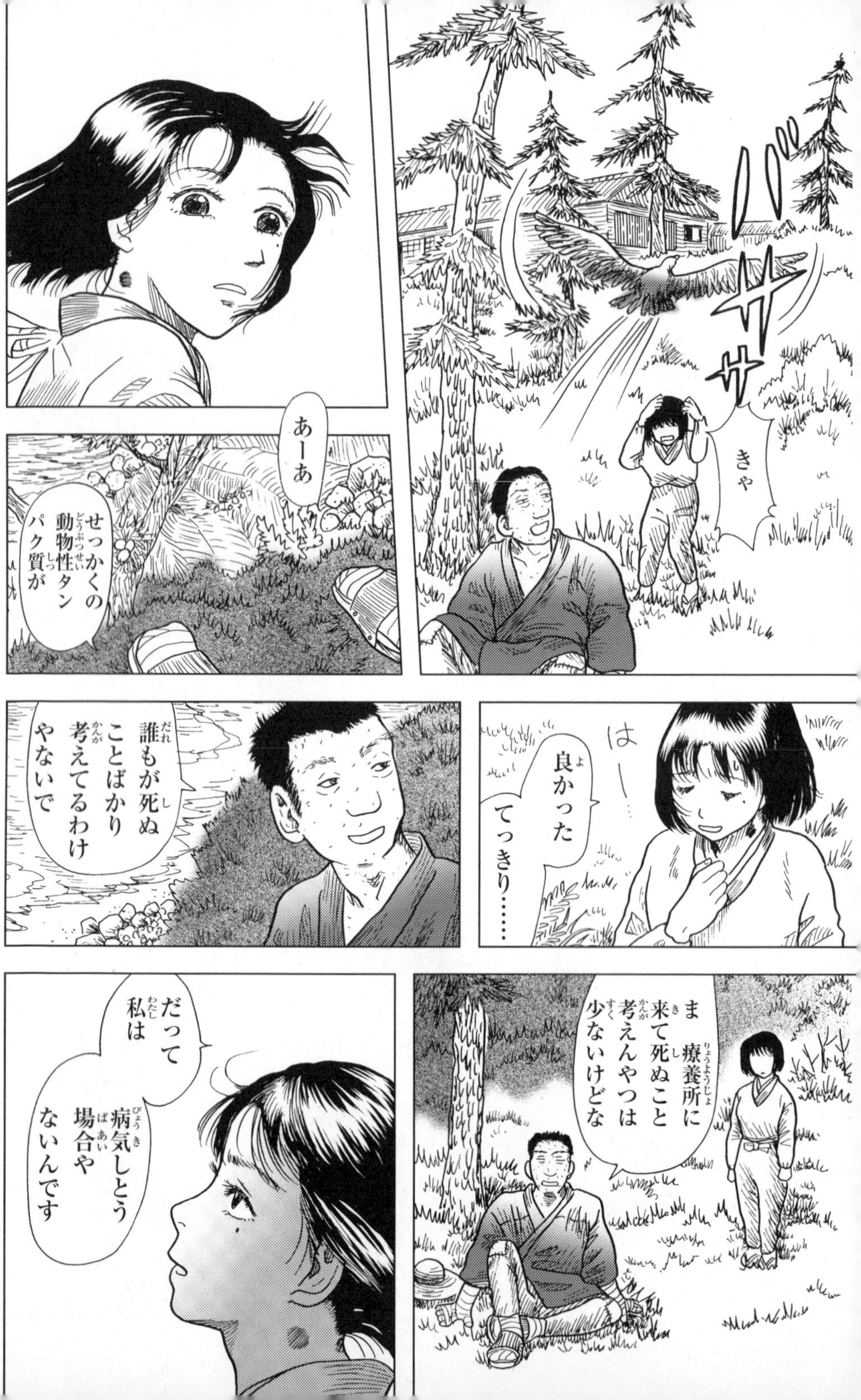
バサ
サ
きゃ
あーあ
せっかくの動物性《どうぶつせい》タンパク質《しつ》が
はー……
良《よ》かった
てっきり……
誰《だれ》も死《し》ぬことばかり考《かん》えてるわけやないで
ま 療養所《りょうようじょ》に来《き》て死《し》ぬこと考《かん》えんやつは少《すく》ないけどな
だって私《わたし》は
病気《びょうき》しとう場合《ばあい》やないんです

修行《しゅぎょう》して修行《しゅぎょう》して一日《いちにち》も早《はよ》う
一人前《いちにんまえ》の美容師《びようし》になるんです！
……ふん
治《なお》すためには栄養《えいよう》や
あんたにも食《く》わせたろ
せめて卵《たまご》だけでも待《ま》って！

こない小《ちい》さな卵《たまご》を食《た》べても　腹《はら》はふくれませんよ
ジャマせんとってくれ
オレの獲物《えもの》——
ピーッ
ピーーッ
おい！落《お》ちるで
ヒナや！
ピーーッ
カリ
カリカリ
はー…やれやれ
がんばって！

小《ちい》そうても
弱々《よわよわ》しいても
一生懸命《いっしょうけんめい》
生《い》きとんやなあ
ピーッ
ピーッ

ふー…
しゃあない 今日《きょう》のところは あきらめるわ
また来《き》ても いいですか
えっ
べ 別《べつ》に ええけど
ピーちゃん達《たち》を こっそり食《た》べ たりしたら 許《ゆる》しま せんよ!
ピー チャン?
ゴロ ゴロ ゴロ…
ビュウウ
えらい こっちゃ ピーちゃんが
パシャ パシャ
パシャ パシャ

ザァーア…
大石《おおいし》さん 洗濯《せんたく》物《もの》たまってたら出《だ》しといてよ
あら 私《わたし》が洗《あろ》うたげるわよ
いえ 私《わたし》が
ガラララ
はっ はっ
おはようございます
今朝《けさ》はたくあんえらい早《はや》いなあ
バシャ
バシャ
バシャ
バシャバシャ
ザァ

ガサ
ガサ
ピーちゃん！
ザザ…！
巣《す》と一緒《いっしょ》に
吹《ふ》き飛《と》ばされたん
やろか
あっ あんな
ところに
ザァア…
どないしよう
ぶへっくしっ

大石《おおいし》さん
あー
気《き》の毒《どく》やけど
ありゃ
助《たす》からんで
ピーちゃんを
助《たす》けに来《き》て
くれたのね!
え?
いや
俺《おれ》は
鳥肉《とりにく》を…
やれやれ
何《なん》で俺《おれ》が
ピーちゃん
あんただけ
助《たす》かったん
やなあ
ピピーョ
ピーョ
けど
どないしよ
巣《す》が……
知《し》らんがな

ピーョ
ピーョ
ピーちゃん 静《しず》かにせんと 見《み》つかってしまうで
せっかく食《た》べられずに済《す》んだのに
ガサ
ガサ
フン
げっ やべ
カサ
あれっ
大石君《おおいしくん》 こんなとこで 何《なに》しよん
雨《あめ》ん中《なか》 ビショヌレで
二人《ふたり》で
ぎく
な……何《なん》でもないんです
さっ
ふーん……
ふ…
ええなあ 若《わか》い人《ひと》は
は？

ピーーヨ
ピーヨ
ちょっと麦《むぎ》さん
うるそうて寝《ね》られへんのやけど
ピーヨ
す
すいません
ピーヨ
ピーヨ
困《こま》ったなあ
ごはん粒《つぶ》も練《ね》り餌《え》も食《た》べへんの？
プルルッ
油ねたな
おい
ひっ

虫《むし》
大石《おおいし》さん
虫《むし》って……
カサ
ガサ
カサ
ゴソ
ゴソ
ピーちゃんに？
しっ
あ
…りがとうございます
フン
ミーンミンミンミー……

コーン…
ザザー…
なあ聞《き》いた？
ゆうべ了《りょう》さんがこっそり麦《むぎ》さんのところに――
ええっ
麦《むぎ》さんってこないだ来《き》た子《こ》やろ
断髪《だんぱつ》やし病気《びょうき》も軽《かる》いし
もてるんやわ
子供《こども》みたいな顔《かお》してやるもんや
カララ…
しーっ
クスクス
何《なん》なん？

バサッ
バサッ
そらっ
よろ…
バサッ
うーん……
まだ あかんか
さ もう 戻《もど》ろう
ブルル…

キョエエッ
ピーちゃん……
バサササッ
りん…

ピーちゃん
ひとりで淋《さび》しいかな
それから数日後《すうじつご》
油ねたな
ピーチャン
チュン
チュン
亡《な》くなったって誰《だれ》が!?
あんたも付《つ》き添《そ》い看護《かんご》したのど切《き》り患者《かんじゃ》や
その時《とき》はじめて
病院《びょういん》に火葬場《かそうば》がある意味《いみ》を知《し》った

ここは病院《びょういん》じゃなくて
私達《わたしたち》は島流《しまなが》しにされたんだ
ぶる、
あの人《ひと》は煙《けむり》になってやっと自分《じぶん》の家《いえ》に帰《かえ》れたんやな

バサッ
ピーちゃん!?

ピーーロロロ……
ピーちゃん
立派《りっぱ》になって…
ピーちゃん
時々《ときどき》は顔見《かおみ》せにおいでよー
私《わたし》もがんばるから見《み》とってねー
……何《なん》や
やかましなあ

フン・
ええなあ
鳥《とり》は
ぐすっ
ひゃ
ぽんっ
大石《おおいし》さん またさぼってるんですか？

麦《むぎ》さん アンタ おもろいなあ
えっ そ そう ですか？
今《いま》までここに おらんかった タイプやわ
あははは
ひぃぃいい
ピィー
…

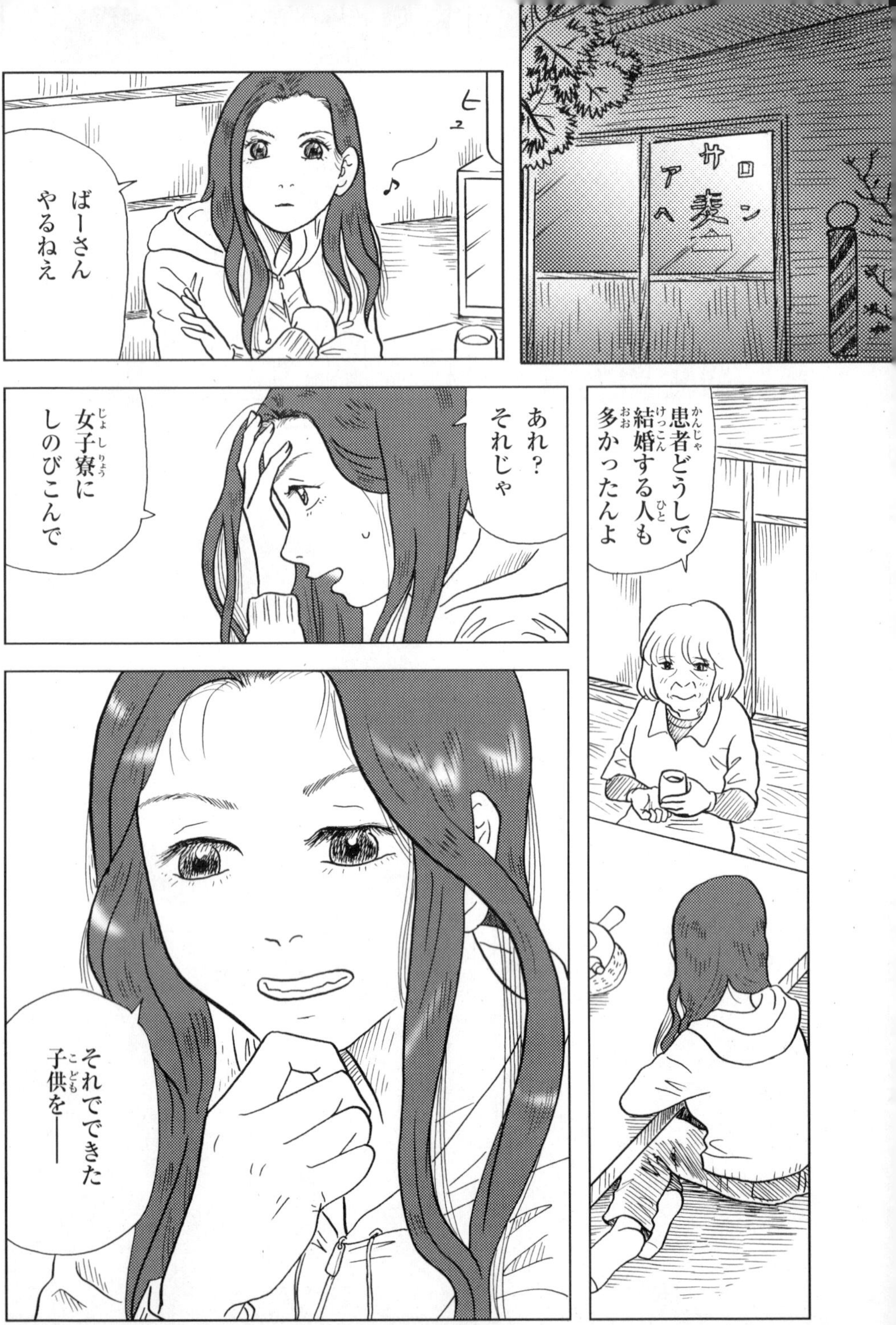
ヒュ
♪
ばーさん やるねえ
患者《かんじゃ》どうしで 結婚《けっこん》する人《ひと》も 多《おお》かったんよ
あれ？ それじゃ
女子寮《じょしりょう》に しのびこんで
それでできた 子供《こども》を——

カァー
カー
あら　もう
こんな時間《じかん》
続《つづ》きはまた
今度《こんど》に
しましょうか
ええー!?

ばーさんに
すっかり毒気《どくけ》を
抜《ぬ》かれたまま
十《じゅう》二《に》月《がつ》に
なった

ピーーーーロロロ…
ピーちゃん!
ふわさっ

バサッ
バッサ
よろ
バッサ
よろ
あははは…
聡子《さとこ》ちゃん髪《かみ》の毛《け》黒《くろ》く戻《もど》したのね
就職活動《しゅうしょくかつどう》するからしかたなくね
似合《にあ》うで
え……そう？
あたしは何《なん》で
このばーさんのとこに入《い》りびたっとんのやろ

チャプン
いつからこないなことしよん?
そやねえ五十年位《ごじゅうねんくらい》
冷《ひ》えてきたね 行《い》こか
……うん
よう
あら早《はや》かったんやね
大石了太《おおいしりょうた》です
聡子《さとこ》ちゃんいうたかな
うちの人《ひと》よ
ダンナさん……
死《し》んでなかったの!?

わしは島《しま》にいるけど
こいつは姫路《ひめじ》で理容師《りようし》になる夢《ゆめ》をかなえたんや
ほな わしは三井先生《みついせんせい》と一杯《いっぱい》やってくる
了太《りょうた》さん飲《の》みすぎたらあかんで
先生《せんせい》の家《いえ》で飲《の》むから大丈夫《だいじょうぶ》や なんぼ酔《よ》うて暴《あば》れても
迷惑《めいわく》すんのは三井先生《みついせんせい》だけや
ぷっ

ダンナさんとこっちでいっしょに暮《くら》さないの？
島《しま》で何十年《なんじゅうねん》も暮《くら》すとね
島《しま》の方《ほう》が楽《らく》なんよ
病気《びょうき》は治《なお》って法律《ほうりつ》はなくなったのに
島《しま》の外《そと》には身寄《みよ》りも友達《ともだち》もいないとか
ぎゅ…
病気《びょうき》の後遺症《こういしょう》を人《ひと》に見《み》られたくないとか……いろいろよ
鳥《とり》はええね
好《す》きなとこ行《い》けて

麦《むぎ》ばあもどこでも行《い》けるやん
今《いま》は電車《でんしゃ》も飛行機《ひこうき》も——
ええ時代《じだい》になったなあ千代《ちよ》ちゃんにも見《み》せたかったわ
病気《びょうき》っていうだけで長《なが》いこと閉《と》じ込《こ》めておいて
もういいよって急《きゅう》に言《い》われても出《で》にくいよな

第2巻 目次

【参考文献一覧】

長島愛生園《ながしまあいせいえん》慰安会《いあんかい》編《へん》・発行《はっこう》『愛生《あいせい》』第《だい》10号《ごう》＜療友外島《りょうゆうそとじま》に捧《ささ》ぐ＞（1934）

癩予防協会《らいよぼうきょうかい》編《へん》・発行《はっこう》『癩患者《らいかんじゃ》の告白《こくはく》』（1934）

第三區府県立外島保養院《だいさんくふけんりつそとじまほよういん》編《へん》・発行《はっこう》『風水害記念誌《ふうすいがいきねんし》』（1935）

長島愛生園教育部《ながしまあいせいえんきょういくぶ》編《へん》『望ケ丘《のぞみがおか》の子供《こども》たち』（1941、山雅房《せんがぼう》）

光田健輔《みつだけんすけ》『回春病室《かいしゅんびょうしつ》　救《きゅう》ライ五十年《ごじゅうねん》の記録《きろく》』（1950、朝日新聞社《あさひしんぶんしゃ》）

長島愛生園《ながしまあいせいえん》編《へん》『小島《こじま》に生《い》きる』（1952、宝文館《ほうぶんかん》）

邑久光明園創作会《おくこうみょうえんそうさくかい》・木島始《きじまはじめ》編《へん》『跫音《あしおと》』（1957、書肆《しょし》パトリア）

国立療養所長島愛生園《こくりつりょうようじょながしまあいせいえん》編《へん》・発行《はっこう》『長島愛生園《ながしまあいせいえん》30年《ねん》の歩《あゆ》み』（1961）

野島多以司《のじまたいじ》「外島《そとじま》の思出《おもいで》を語《かた》る」『青松《せいしょう》』第《だい》242号《ごう》（1968、財団法人大島青松会《ざいだんほうじんおおしませいしょうかい》）

姫路空襲《ひめじくうしゅう》を語《かた》りつぐ会編《かいへん》『姫路空爆《ひめじくうばく》の記録《きろく》　恐怖《きょうふ》の昼《ひる》と夜《よる》』（1973、姫路地方文化団体連合協議会《ひめじちほうぶんかだんたいれんごうきょうぎかい》）

おかのゆきお『林文雄《はやしふみお》の生涯《しょうがい》　救癩使徒行伝《きゅうらいしとぎょうでん》』（1974、新教出版社《しんきょうしゅっぱんしゃ》）

日本《にほん》の空襲編集委員会《くうしゅうへんしゅういいんかい》・君本昌久編《きみもとまさひさへん》『日本《にほん》の空襲《くうしゅう》6　近畿《きんき》』（1980、三省堂《さんせいどう》）

原田禹雄編《はらだのぶおへん》『創立八十年記念誌《そうりつはちじゅうねんきねんし》』（1989、国立療養所邑久光明園《こくりつりょうようじょおくこうみょうえん》）

邑久光明園盲人会編《おくこうみょうえんもうじんかいへん》・発行《はっこう》『白《しろ》い道標《みちしるべ》　邑久光明園盲人会《おくこうみょうえんもうじんかい》40年史《ねんし》』（1995）

藤田真一編著《ふじたしんいちへんちょ》『証言《しょうげん》・日本人《にほんじん》の過《あやま》ち　ハンセン病《びょう》を生《い》きて　森元美代治《もりもとみよじ》・美恵子《みえこ》は語《かた》る』（1996、人間《にんげん》と歴史社《れきししゃ》）

平沢保治《ひらさわやすじ》『人生《じんせい》に絶望《ぜつぼう》はない　ハンセン病《びょう》100年《ねん》のたたかい』（1997、かもがわ出版《しゅっぱん》）

瓜谷修治《うりたにしゅうじ》『ヒイラギの檻《おり》　20世紀《せいき》を狂奔《きょうほん》した国家《こっか》と市民《しみん》の墓標《ぼひょう》』（1998、三五館《さんごかん》）

全国《ぜんこく》ハンセン病療養所入所者協議会編《びょうりょうようじょにゅうしょしゃきょうぎかいへん》・太田順一写真《おおたじゅんいちしゃしん》『ハンセン病療養所《びょうりょうようじょ》隔離《かくり》の90年《ねん》』（1999、解放出版社《かいほうしゅっぱんしゃ》）

多磨全生園創立《たまぜんしょうえんそうりつ》90周年記念事業実行委員会編《しゅうねんきねんじぎょうじっこういいんかいへん》『全生園《ぜんしょうえん》の森《もり》　人《ひと》と光《ひかり》と風《かぜ》と創立《そうりつ》90周年写真集《しゅうねんしゃしんしゅう》』（1999、現代書館《げんだいしょかん》）

国本衛《くにもとまもる》『生《い》きて、ふたたび　隔離《かくり》55年《ねん》　ハンセン病者半生《びょうしゃはんせい》の軌跡《きせき》』（2000、毎日新聞社《まいにちしんぶんしゃ》）

加賀田一《かがたはじめ》『島《しま》が動《うご》いた　隔絶六十年《かくぜつろくじゅうねん》の体験《たいけん》から『小島《こじま》の春《はる》』はいま！』（2000、

文芸社《ぶんげいしゃ》)

谺雄二《こだまゆうじ》『知《し》らなかったあなたへ　ハンセン病訴訟《びょうそしょう》までの長《なが》い旅《たび》』(2001、ポプラ社《しゃ》)

寺島萬里子《てらしままりこ》『寺島萬里子写真集《てらしままりこしゃしんしゅう》　病《やまい》癒《い》えても　ハンセン病《びょう》・強制隔離《きょうせいかくり》90年《ねん》から人権回復《じんけんかいふく》へ』(2001、皓星社《こうせいしゃ》ブックレット)

徳永進《とくながすすむ》『隔離《かくり》　故郷《こきょう》を追《お》われたハンセン病者《びょうしゃ》たち』(2001、岩波現代文庫《いわなみげんだいぶんこ》)

森幹郎《もりみきお》『証言《しょうげん》・ハンセン病《びょう》　療養所元職員《りょうようじょもとしょくいん》が見《み》た民族浄化《みんぞくじょうか》』(2001、現代書《げんだいしょ》館《かん》)

太田順一《おおたじゅんいち》『ハンセン病療養所《びょうりょうようじょ》　百年《ひゃくねん》の居場所《いばしょ》』(2002、解放出版社《かいほうしゅっぱんしゃ》)

栗生楽泉園入園者自治会《くりうらくせんえんにゅうえんしゃじちかい》・国立療養所栗生楽泉園編《こくりつりょうようじょくりうらくせんえんへん》『熊笹《くまざさ》の尾根《おね》　栗生楽泉《くりうらくせん》園創立七十周年記念写真集《えんそうりつななじゅっしゅうねんきねんしゃしんしゅう》』(2002、皓星社《こうせいしゃ》)

趙根在《ちょうこんざい》『趙根在写真集《ちょうこんざいしゃしんしゅう》　ハンセン病《びょう》を撮《と》り続《つづ》けて』(2002、草風館《そうふうかん》)

ハンセン病《びょう》・国家賠償請求訴訟《こっかばいしょうせいきゅうそしょう》を支援《しえん》する会編《かいへん》『ハンセン病問題《びょうもんだい》　これまでとこれから』(2002、日本評論社《にほんひょうろんしゃ》)

平野暉人《ひらのあきと》『家族《かぞく》の肖像《しょうぞう》』(2002、皓星社《こうせいしゃ》)

南日本放送《みなみにほんほうそう》ハンセン病取材班編《びょうしゅざいはんへん》『ハンセン病問題《びょうもんだい》は終《お》わっていない』(2002、岩波《いわなみ》ブックレット)

小川正子《おがわまさこ》『新装《しんそう》　小島《こじま》の春《はる》　ある女医《じょい》の手記《しゅき》』(2003、長崎出版《ながさきしゅっぱん》)

昭和女子大学光葉博物館編《しょうわじょしだいがくこうようはくぶつかんへん》・発行《はっこう》『「モノ」が語《かた》りかけるハンセン病問題《びょうもんだい》　人権教育《じんけんきょういく》一〇《じゅう》年《ねん》によせて』(2003)

佐々木雅子《ささきまさこ》『ひいらぎの垣根《かきね》をこえて　ハンセン病療養所《びょうりょうようじょ》の女《おんな》たち』(2003、明石書店《あかししょてん》)

『ハンセン病《びょう》をどう教《おし》えるか』編集委員会編《へんしゅういいんかいへん》『ハンセン病《びょう》をどう教《おし》えるか』(2003、解放出版社《かいほうしゅっぱんしゃ》)

林力《はやしちから》『山中捨五郎記《やまなかすてごろうき》　宿業《しゅくごう》をこえて』(2004、皓星社《こうせいしゃ》)

熊本日日新聞社編《くまもとにちにちしんぶんしゃへん》『検証《けんしょう》・ハンセン病史《びょうし》』(2004、河出書房新社《かわでしょぼうしんしゃ》)

小林文雄《こばやしふみお》『小林文雄写真集《こばやしふみおしゃしんしゅう》　九十三歳《きゅうじゅうさんさい》の回顧録《かいころく》　邑久光明園《おくこうみょうえん》の日々《ひび》』(2004、皓星社《こうせいしゃ》)

村上絢子《むらかみあやこ》『証言《しょうげん》・ハンセン病《びょう》　もう、うつむかない』(2004、筑摩書房《ちくましょぼう》)

大阪健康福祉部地域保健福祉室編《おおさかけんこうふくしぶちいきほけんふくししつへん》『大阪府《おおさかふ》ハンセン病実態調査報告書《びょうじったいちょうさほうこくしょ》』(2004、大阪府《おおさかふ》)

兵庫県健康生活部健康局疾病対策室《ひょうごけんけんこうせいかつぶけんこうきょくしっぺいたいさくしつ》・兵庫県人権啓発協会編《ひょうごけんじんけんけいはつきょうかいへん》『鐘《かね》はあしたの空《そら》に　ハンセン病記録集《びょうきろくしゅう》』（2004、兵庫県健康生活部健康局疾病対策室《ひょうごけんけんこうせいかつぶけんこうきょくしっぺいたいさくしつ》）

武田徹《たけだとおる》『「隔離《かくり》」という病《やま》い　近代日本《きんだいにほん》の医療空間《いりょうくうかん》』（2005、中公文庫《ちゅうこうぶんこ》）

田中文雄《たなかふみお》『失《うしな》われた歳月《さいげつ》』上下巻《じょうげかん》（2005、皓星社《こうせいしゃ》）

星塚敬愛園入所者自治会編《ほしづかけいあいえんにゅうしょしゃじちかいへん》・発行《はっこう》『写真集《しゃしんしゅう》　いのち重《かさ》ねて　星塚敬愛園七十周年記念《ほしづかけいあいえんななじゅっしゅうねんきねん》』（2005）

国立療養所菊池恵楓園入所者自治会編《こくりつりょうようじょきくちけいふうえんにゅうしょしゃじちかいへん》・発行《はっこう》『壁《かべ》をこえて　自治会八十年《じちかいはちじゅうねん》の軌跡《きせき》』（2006）

崔南龍《ちぇなむよん》『崔南龍写真帖《ちぇなむよんしゃしんちょう》　島《しま》の65年《ねん》　ハンセン病療養所邑久光明園《びょうりょうようじょおくこうみょうえん》から』（2006、解放出版社《かいほうしゅっぱんしゃ》）

畑谷史代《はたやふみよ》『差別《さべつ》とハンセン病《びょう》　「柊《ひいらぎ》の垣根《かきね》」は今《いま》も』（2006、平凡社新書《へいぼんしゃしんしょ》）

ハンセン病違憲国賠裁判全史編集委員会編《びょういけんこくばいさいばんぜんしへんしゅういいんかいへん》『ハンセン病違憲国賠裁判全史《びょういけんこくばいさいばんぜんし》』第《だい》4巻《かん》　裁判編《さいばんへん》　東日本訴訟《ひがしにほんそしょう》（2006、皓星社《こうせいしゃ》）

ハンセン病違憲国賠裁判全史編集委員会編《びょういけんこくばいさいばんぜんしへんしゅういいんかいへん》『ハンセン病違憲国賠裁判全史《びょういけんこくばいさいばんぜんし》』第《だい》7巻《かん》　被害実態編《ひがいじったいへん》　西日本訴訟《にしにほんそしょう》2（2006、皓星社《こうせいしゃ》）

ハンセン病違憲国賠裁判全史編集委員会編《びょういけんこくばいさいばんぜんしへんしゅういいんかいへん》『ハンセン病違憲国賠裁判全史《びょういけんこくばいさいばんぜんし》』第《だい》8巻《かん》　被害実態編《ひがいじったいへん》　東日本訴訟《ひがしにほんそしょう》（2006、皓星社《こうせいしゃ》）

ハンセン病違憲国賠裁判全史編集委員会編《びょういけんこくばいさいばんぜんしへんしゅういいんかいへん》『ハンセン病違憲国賠裁判全史《びょういけんこくばいさいばんぜんし》』第《だい》9巻《かん》　被害実態編《ひがいじったいへん》　瀬戸内訴訟他《せとうちそしょうほか》（2006、皓星社《こうせいしゃ》）

八重樫信之《やえがしのぶゆき》『絆《きずな》　「らい予防法《よぼうほう》」の傷痕《きずあと》　日本《にほん》・韓国《かんこく》・台湾《たいわん》』（2006、人間《にんげん》と歴史社《れきししゃ》）

伊波敏男《いはとしお》『ハンセン病《びょう》を生《い》きて　きみたちに伝《つた》えたいこと』（2007、岩波《いわなみ》ジュニア新書《しんしょ》）

熊本日日新聞社編《くまもとにちにちしんぶんしゃへん》『ハンセン病《びょう》とともに　心《こころ》の壁《かべ》を超《こ》える』（2007、岩波書《いわなみしょ》店《てん》）

兵庫県健康生活部健康局疾病対策課《ひょうごけんけんこうせいかつぶけんこうきょくしっぺいたいさくか》・兵庫県人権啓発協会編《ひょうごけんじんけんけいはつきょうかいへん》『鐘《かね》はあしたの空《そら》に2　ハンセン病記録集《びょうきろくしゅう》　第《だい》2集《しゅう》』（2007、兵庫県健康生活部健康局疾《ひょうごけんけんこうせいかつぶけんこうきょくしっ》病対策課《ぺいたいさくか》）

『復刻版《ふっこくばん》　岩波写真文庫《いわなみしゃしんぶんこ》　森《もり》まゆみセレクション　離《はな》された園《その》』（2008、岩波《いわなみ》写真文庫《しゃしんぶんこ》）

荻野美穂《おぎのみほ》『「家族計画《かぞくけいかく》」への道《みち》　近代日本《きんだいにほん》の生殖《せいしょく》をめぐる政治《せいじ》』（2008、岩波《いわなみ》

書店《しょてん》）

山本須美子《やまもとすみこ》・加藤尚子《かとうなおこ》『ハンセン病療養所《びょうりょうようじょ》のエスノグラフィ　「隔離《かくり》」のなかの結婚《けっこん》と子《こ》ども』（2008、医療文化社《いりょうぶんかしゃ》）

国立療養所邑久光明園入所者自治会編《こくりつりょうようじょおくこうみょうえんにゅうしょしゃじちかいへん》『隔離《かくり》から解放《かいほう》へ　邑久光明園入所者《おくこうみょうえんにゅうしょしゃ》百年《ひゃくねん》の歩《あゆ》み　邑久光明園創立百周年記念誌《おくこうみょうえんそうりつひゃくしゅうねんきねんし》』（2009、山陽新聞社《さんようしんぶんしゃ》）

山中美智子《やまなかみちこ》編著《へんちょ》『赤《あか》ちゃんを亡《な》くした女性《じょせい》への看護《かんご》　流産《りゅうざん》・死産《しざん》・新生児死《しんせいじし》亡《ぼう》における援助《えんじょ》の実際《じっさい》とグリーフケア』（2009、メディカ出版《しゅっぱん》）

国立《こくりつ》ハンセン病資料館編《びょうしりょうかんへん》『国立《こくりつ》ハンセン病資料館《びょうしりょうかん》　常設展示図録《じょうせつてんじずろく》　2009』（2010、財団法人日本科学技術振興財団《ざいだんほうじんにほんかがくぎじゅつしんこうざいだん》）

国立《こくりつ》ハンセン病資料館編《びょうしりょうかんへん》『着物《きもの》にみる療養所《りょうようじょ》のくらし　2010年度春季企画《ねんどしゅんききかく》展《てん》』（2010、財団法人日本科学技術振興財団《ざいだんほうじんにほんかがくぎじゅつしんこうざいだん》）

荒井裕樹《あらいゆうき》『隔離《かくり》の文学《ぶんがく》　ハンセン病療養所《びょうりょうようじょ》の自己表現史《じこひょうげんし》』（2011、書肆《しょし》アルス）

廣川和花《ひろかわわか》『近代日本《きんだいにほん》のハンセン病問題《びょうもんだい》と地域社会《ちいきしゃかい》』（2011、大阪大学出版会《おおさかだいがくしゅっぱんかい》）

松岡弘之《まつおかひろゆき》『隔離《かくり》の島《しま》に生《い》きる　岡山《おかやま》ハンセン病問題記録集《びょうもんだいきろくしゅう》　創設期《そうせつき》の愛生《あいせい》園《えん》』（2011、ふくろう出版《しゅっぱん》）

宮里良子《みやざとりょうこ》『生《う》まれてはならない子《こ》として』（2011、毎日新聞社《まいにちしんぶんしゃ》）

坂田勝彦《さかたかつひこ》『ハンセン病者《びょうしゃ》の生活史《せいかつし》　隔離経験《かくりけいけん》を生《い》きるということ』（2012、青弓社《せいきゅうしゃ》）

蘭《あららぎ》 由岐子《ゆきこ》『新版《しんぱん》「病《やま》いの経験《けいけん》」を聞《き》き取《と》る　ハンセン病者《びょうしゃ》のライフヒストリー』（2017、生活書院《せいかつしょいん》）

麦《むぎ》ばあの島《しま》 第1巻

MUGIBAA no SHIMA

2017年11月15日　第1刷発行
2018年9月19日　第2刷発行

作・画　古林海月
監　修　蘭由岐子
発行者　高橋雅人
発行所　株式会社すいれん舎
〒101-0052
東京都千代田区神田小川町3-14-3-601
電話　03-5259-6060
FAX　03-5259-6070
印刷・製本　亜細亜印刷株式会社
装　丁　小玉文
企画・編集協力　佐藤健太
編集協力　青木悦郎

日本音楽著作権協会（出）許諾第1710913-701号
ISBN 978-4-86369-509-2 / 全4巻セット ISBN 978-4-86369-513-9 / Printed in Japan